恋愛成就は「彼分析が」9割

森野ひなた
Hinata Morino

KADOKAWA

はじめに　彼を好きにさせる力を持つ「恋愛プロファイリング」とは

あなたは今、振り向いてくれない彼に、どうしたら好きになってもらえるのか悩んでいるのかもしれません。あるいは、一度は自分のことを好きだった彼が、冷めてしまったことに苦しんでいるのかもしれません。

いくつもの恋愛マニュアル本やネットの情報を見て、自分なりに色々努力したけれど、うまくいかず本書にたどり着いたのかもしれないですね。

あなたの好きな彼は何を考えているのでしょうか？

どうすればあなたを心から好きになってくれるのでしょうか？

私はこれから本書で、あなたの好きな彼が何を考えているのか、そしてどうすればあなたを心から愛してくれるのかをお伝えします。

恋愛マニュアル本に書かれていることは正しい？

たとえば、世の中の恋愛マニュアル本には次のように書かれていることがあります。

「男性に尽くすと男性は冷めてしまう」

これは本当でしょうか？

確かに、尽くすと冷める男性は一定数存在します。

彼のために掃除や洗濯をしたり、料理を作ったりしたのに、彼は彼女を大事にするどころか、仕事や遊びを優先して、最後には他の女性に行ってしまう。

彼のことを放っておいて、尽くさせたほうがうまくいくと恋愛マニュアル本には書いてあり、その通りにしたら彼が振り向いたというレビューがあったりします。

一方で、実は真逆な男性もいます。

恋愛マニュアル本には載っていませんが、女性が尽くさないことで冷めていく男性も多いのです。そのような男性は、彼のために掃除や洗濯、料理をしてもらえることをありがたいと感じ、尽くされることで彼女への愛情が深まり、尽くしてくれる彼女を大切にします。

他にも、このように書かれたネットの情報があります。

「彼に対して自分を謎にしておくほうが追いかけられる」

確かに、このようにミステリアスにすることであなたに興味が増す男性もいます。

一方で、逆効果になる男性もいるのです。

たとえば、元カノに浮気されたことがある男性です。あなたが自分のことを隠し、ミステリアスに振る舞うほど彼はあなたに不信感が増し、去っていくでしょう。

重要なことは、男性は皆同じではないということです。

男性が皆同じように考え、同じように行動するのなら、恋愛マニュアル本に書かれた通りにすればうまくいくのですが、実際には違います。

結局のところ、多くの恋愛マニュアル本やネットの情報の通りにしたら、うまくいく人もいれば、うまくいかない人もいるのです。

「じゃあ、一体私は彼にどう接したら良いの？」って、わからなくなってしまいますよね。


でも、ご安心ください。

本書では、あなたとあなたの好きな彼だけに応用できる方法をお伝えします。

この世でたった1人の彼を分析し、あなたと彼の関係を分析し、その上であなたが彼にどう接したら良いのかを知ることができる方法です。

これを、私は恋愛プロファイリングと名付けました。

恋愛プロファイリングとは、プロファイリングの恋愛特化バージョンです。（プロファイリングとは人の行動や考えを調べて、その人がどんな人物かを推測する方法で犯罪捜査などに使われます）

はじめまして、森野ひなたです。この本を手にとってくださり、ありがとうございます。

私はコイユニ（恋愛ユニバーシティ）で恋愛コンサルタントをしています。これまでに、2万4000件を超える恋愛相談に乗って参りました。

いつも全身全霊で悩みをお伺いし、恋愛プロファイリングを駆使して、彼が憑依したかのように彼になりきって考え、相談者さんが望む幸せを叶えられるように尽力してきました。

たくさんの相談者さんから、復縁・結婚・交際などの嬉しいご報告をいただいています。

森野先生がおっしゃる通りの行動を彼がとるため、迷いなく対処できたので、復縁することができました。本当に、どこかで見てたのかってくらい彼の行動、言動を言い当ててくださいました。笑彼の性格をとても正確に分析し、どんな言葉が彼に響くか、具体的に教えてくださいます。単なるマニュアル本のような感じではなく、彼専用の対処法を教えていただけるので、本当にいつも助かっています。

ひなた先生のすごいと思う所は、洞察力と記憶力と、瞬間的な判断力。そのときの彼の発言から、彼の考えている事や背景を、驚くほど見事に読み当て、仰るとおりに実践すると、いつも良い結果が得られ私自身驚きます。彼から大切にされるようになってきました。

森野先生はエスパーかと思うほど彼の行動とセリフを予想してくださり、的確な分析でアドバイスをくれました。おかげで2人の仲も回復し、今では毎日連絡がくるようになりました！　結婚の話も出ています。

彼に結婚を断られたときに、相談しました。何がネックになって結婚したくないかの分析と、彼が結婚したくなるにはどうしたらいいかを教えてもらえました。先生にアドバイスをもらいながら数ヶ月かけてがんばった結果、彼が結婚に乗り気になってくれました！　もうすぐ入籍です！

男性一般ではなく彼そのものを理解する恋愛プロファイリング

世の中の恋愛マニュアルの多くは著者の経験に基づいて、あるいは男女の違いのみに着目して書かれています。

そして、何より男性をひとくくりにして見ています。

繰り返しますが、男性は皆同じではありません。ひとりひとり違います。

そして、あなたとの関わりにおいても変わります。

だからこそ、恋愛プロファイリングが必要なのです。


恋愛プロファイリングを学ぶことで、あなたの好きな彼にはこうすべき、という方法がわかります。男性一般を理解するのではなく、彼そのものを深く知ることができるのです。

それは、彼専用の攻略本を手に入れるようなものです。

何をしたら彼に「唯一無二の女性！」と思われるのか、答えが書いてある彼専用の攻略本があれば、あなたの悩みはなくなるのではないでしょうか。


恋愛プロファイリングは、彼を操るための手法や小手先のテクニックではありません。

大好きな彼のことを深く理解して接することで、彼を世界一幸せにするための方法です。

世界一幸せになった彼は、あなたのことを心から好きになり、あなたも世界一幸せになる。

2人の幸せな恋愛を実現するための方法が恋愛プロファイリングなのです。


その恋愛プロファイリングを、本書で一緒に学んでいきましょう。

CONTENTS

目次

第2章

「彼があなたに望む位置」を近づけるためのルール

第3章

彼の特別な女性になるための〝価値観分析〟

第4章 彼の心を動かし、彼の心を手に入れるには

第6章 大好きな彼と復縁する方法

STAFF

装丁：井上新八
本文デザイン：山﨑綾子（dig）
本文イラスト：tattsun
ＤＴＰ：（株）フォレスト
校正・校閲：（株）文字工房燦光、（株）鴎来堂
編集協力：片瀬京子
編集：村本悠

第1章

「彼があなたをどう思っているか」は彼があなたに望む位置でわかる

「彼があなたをどう思っているか」を知る

あなたの恋愛をうまくいかせるための恋愛プロファイリングの第一歩は、**彼があなたに望む位置**を知ることです。

ここでいう〝**位置**〟とは、恋愛におけるパーソナルスペースのようなものです。

パーソナルスペースとは、相手に近づかれても不快にならない距離の指標で、相手によって変わります。たとえば、ガラガラに空いている電車で隣に座ったのが親しい人なら気になりません。しかし、見ず知らずの人に隣に座られると「え？　他の席も空いているのに」と不快になりますよね。

人間関係における心理的距離も同じです。

親友から「相談したい」と頼られ、長時間悩みを聞くのは苦ではなくても、ほとんど知らない同僚から長時間にわたり悩みを吐露されたら、ちょっと大変に感じますよね。

この心理的距離の快・不快を恋愛に応用し、**12の「望む位置」**に分類しました。

彼があなたに望む
"12の位置"とは?

彼に最も近い位置

- 1 番目の位置 ▶ この女性じゃないとダメ！　唯一無二の存在
- 2 番目の位置 ▶ 結婚したい！
- 3 番目の位置 ▶ 付き合いたいし、結婚してもいい
- 4 番目の位置 ▶ 付き合いたいが、今すぐに結婚したくない
- 5 番目の位置 ▶ 付き合いたいが、結婚したくない
- 6 番目の位置 ▶ 付き合ってもいいが、どうしてもではない
- 7 番目の位置 ▶ すごく体の関係は持ちたいが、付き合いたくない
- 8 番目の位置 ▶ できれば体の関係を持ちたいが、付き合いたくない
- 9 番目の位置 ▶ 体の関係を持てたら嬉しいが、どうしてもではない
- 10 番目の位置 ▶ 好きでいてほしいが、体の関係は持ちたくない
- 11 番目の位置 ▶ 特に意識していない
- 12 番目の位置 ▶ 好かれたくない

彼から最も遠い位置

彼の〝付き合いたい〟と〝体の関係を持ちたい〟は別

12の位置を見てみると、10の好かれたいだけ、7の体の関係を持ちたいだけ、5の付き合いたいだけ、という位置があるとわかります。多くの女性のように〝好き＝結婚して一生一緒にいたい〟や〝好き＝恋人になりたい〟ではないのです。

このように、彼があなたに望んでいる正確な位置がわかれば、彼のどっちつかずの言動も理解できると思います。

「思わせぶりな態度をとるのは、モテたいし、私に好かれたいから。でも私とは付き合いたくないから、彼から誘ってこないのね」

「体の関係を持ちたいけれど、付き合いたくはない位置に私がいるから、『付き合ってるの？』と私が聞くとはぐらかすのね。私と違って、体の関係を持ちたい＝付き合いたい、じゃないのか」

というようにです。

彼があなたに望んでいる位置はどこなのか、あなたのことをどう思っているのか、とても気になりますよね。そこで、簡単に診断できるチェックシートを用意しました。

彼があなたに望む位置はどこ？「12の位置診断」

1番目の位置 ▶ この女性じゃないとダメ！　唯一無二の存在

彼からの告白で交際がスタートした。または交際して１年以上が経過している。交際は順調だとあなたが感じる。あなたが急かさなくても彼が積極的に結婚に向けて進もうとしてくれる。親への挨拶、プロポーズ、指輪など行動が伴っている。

彼はあなたを唯一無二の存在だと思っていて、あなたがいるから幸せでいられるし、あなたを失ったら生きていけないと思っている。

2番目の位置 ▶ 結婚したい！

彼からの告白で交際がスタートした。または交際して１年以上が経過している。交際は順調だとあなたが感じる。あなたが急かさなくても彼が積極的に結婚に向けて進もうとしてくれる。親への挨拶、プロポーズ、指輪など行動が伴っている。

3番目の位置 ▶ 付き合いたいし、結婚してもいい

彼からの告白で交際がスタートした。または交際して１年以上が経過している。交際は順調だとあなたが感じる。あなたが結婚の話や将来の話をすると嫌がらず、あなたが指輪を見に行きたいと言えば行くし、親への挨拶の日取りを決めようとすればOKしてくれる。しかし、彼から積極的に結婚に向けて進もうとはせず、段取りを考えて提案することもない。

4番目の位置 ▶ 付き合いたいが、今すぐに結婚したくない

彼からの告白で交際がスタートした。または交際して１年以上が経過している。彼からの誘いでのデートも半分くらいある。たまに「子どもができたら犬を飼いたいんだよねー」のような将来のふわふわした話にはなるが、具体的な結婚の話には発展しない。「留学したいんだよね」「次ココに引越そうかな」など、少なくとも彼の未来予想図のなかで今後３年は結婚していなさそうだと感じられる発言がある。

5番目の位置 ▶ 付き合いたいが、結婚したくない

彼からの告白で交際がスタートした。または交際して1年以上が経過している。結婚の話は彼から出たことがない。または、こちらが結婚の話を出してもはぐらかしたり、「両親が仲悪かったから結婚に嫌なイメージ」や「結婚のメリットがわからない」など結婚に対して否定的な発言をする。

6番目の位置 ▶ 付き合ってもいいが、どうしてもではない

あなたから彼に「付き合うかどうか」の結論を催促して交際がスタートした。または、まだ交際していない状況で、彼からの誘いでデートを続けて、3ヶ月以内で8回以上会っているが告白されていない。

7番目の位置 ▶ すごく体の関係は持ちたいが、付き合いたくない

彼から会おうと誘ってくる。あなたを喜ばせるために労力を惜しまない。あなたと体の関係を持つ流れを作ろうとする。「好き」など言われたことがあるが付き合う云々の話は彼から出ない。付き合わずに体の関係を持つのにもっともらしい言葉を言われたことがある。体の関係を迫られて断ったことが4回以上ある。または体の関係を4回以上持ったことがある。

8番目の位置 ▶ できれば体の関係を持ちたいが、付き合いたくない

彼から会おうと誘ってくる。優しく思わせぶりな態度をとる。告白はしてこないし、付き合う云々の話は彼から出ない。「体の相性から入る」「告白して付き合ったことがない」など、付き合わずに体の関係を持つのにもっともらしい言葉を言われたことがある。体の関係を迫られて断ったことが3回以下。または体の関係を3回以下持ったことがある。

9番目の位置 ▶ 体の関係を持てたら嬉しいが、どうしてもではない

あなたから彼を誘うと2人で会える。時々は彼から食事などの誘いがある。優しく思わせぶりな態度をとる。体の関係を何度か持とうとしてきたことがあるが、持っていない。「体の相性から入る」「告白から交際をスタートさせたことがない」など、付き合わずに体の関係を持つのにもっともらしい言葉を言われたことがある。3ヶ月以上にわたって8回以上会っているが告白されていない。

10番目の位置 ▶ 好きでいてほしいが、体の関係は持ちたくない

あなたから彼を誘うと2人で会える。時々は彼から食事などの誘いがある。優しい言動や思わせぶりな態度もたまにあるが、体の関係を持とうとはしてこない。

11番目の位置 ▶ 特に意識しない

あなたから彼に連絡すると返事がくる。あなたから彼を誘うと時々2人で会えることもある。しかし、彼からの誘いで会ったことはない。会えば楽しいし、あなたが困っていたら助けてくれる。

12番目の位置 ▶ 好かれたくない

あなたが彼を誘っても、断られたりはぐらかされたりする。みんなで食事や飲み会に行くことはできても、2人きりで行くことはない。自分を好きそうな様子はない。

大きなカテゴリで分けると次のようになります

◆1～3番目の位置：結婚したい	♥♥♥♥
◆4～6番目の位置：付き合いたいが結婚したくない	♥♥♥
◆7～9番目の位置：体の関係を持ちたいが付き合いたくない	♥♥
◆10～11番目の位置：好かれたいが体の関係を持ちたくない	♥
◆12番目の位置：好かれたくない	💔

いかがでしたか？


厳密な位置を知ることにこだわる必要はありません。

まずは現在のおおよその「彼があなたに望む位置」を知ることが重要です。

おおよその位置がわかれば、これからの作戦が立てられるからです。


そして、自分が期待していたよりも「彼があなたに望む位置」が遠くても落ち込まないでください。

「位置」は固定されたものではなく、変動するからです。

あなたの努力と行動次第で、少しずつ近づけることが可能なのです。


デートや体の関係を持った回数も3回なのか4回なのか、8回なのか、厳密である必要はありません。

それぞれの条件や背景が異なるためです。

同じ「デート8回」でも、「2ヶ月間で8回」というのと、「1年間で8回」には差がありますよね。

なるべく迷わず診断できるように具体的な数字を入れましたが、あくまでも目安として

お考えくださいね。

重要なのは、彼視点

あなたの願いは彼と幸せになること＝彼があなたに望む位置を少しでも近づけることですよね。

では、そのためにはどうすればいいでしょうか。

最も重要なのが、

「どうしたら**『彼は』**あなたに望む位置を近づけたいと思うのか」という**視点**です。

どうしたら**『彼は』**あなたと付き合いたいと思うのか。

どうしたら**『彼は』**あなたと結婚したいと思うのか。

どうしたら**『彼は』**他の誰でもないあなたと結婚すると決めるのか。

すべて、**彼視点**です。

恋愛をしているとつい「**私は**彼と付き合いたい」「**私は**彼と結婚したい」「**私は**彼とこうなりたい」などと、自分視点でばかり考え、悩んでしまいがちですよね。

しかし、あなたが彼に望むような関係を叶えるためには、彼自身に「あなたに望む位置」を近づけてもらうしかないのです。

続く第2章では、彼自身に「あなたに望む位置」を近づけてもらうためのルールをお伝えしますね。

――“彼があなたに望む位置”がわかる２例――

Aさんの例　彼が付き合おうとしないのはなぜ?

彼とはもう何度か体の関係を持っています。彼からよく連絡が来るし、デートの誘いはいつも彼から。会うたびに「好きだよ」「会いたかった」と言われます。でも私が「私たちって恋人だよね?」と確認すると「付き合うってよくわからない」「付き合っているのと変わらないよ」と言って、はっきり恋人とは認めません。なぜなのでしょうか?

これは“彼があなたに望む位置”で説明がつくよ。彼がAさんに望む位置は、
【7の位置】すごく体の関係は持ちたいが、付き合いたくない　だね。
彼はAさんに「【4や5の位置】付き合う」までは近づかれたくない。これよりも近づかれると不快になるから、彼はAさんと付き合おうとはしないんだね。彼はAさんと体の関係を持ちたいし、体の関係を持てる今の状態に満足している。でも、付き合うとなると及び腰。「このまま【7の位置】にいたい」というのが本音だよ。

Bさんの例　これって脈アリ?　彼の考えていることがわからない!

職場が同じ彼は、困っていたらよく助けてくれます。相談を持ちかけて断られたことはないし、プライベートな家族の話も私にだけはしてくれます。飲み会では必ず隣に座ってくるし、私の好きな芸能人と同じ髪型にしてくるなど、思わせぶりだと感じることが時々あります。私に気があるのかと思って、私から誘って2人で食事に行ったことはあるけど、彼からは食事やデートに誘ってきません。彼は私を好きではないのでしょうか?

彼がBさんに望む位置は、
【10の位置】好きでいてほしいが、体の関係は持ちたくない　だね。
それより近い「体の関係を持ちたい【7や8の位置】」ではないよ。彼が望むよりも近づかれると、不快になるので彼からは誘ってこない。でもBさんが少し遠くにいると、好きでいさせたくなるから、“思わせぶり”な行動をとる。彼はBさんから男性として好かれたいし、Bさんのことは人として好ましいと感じている、もしくは仲良くしたい同僚なのかも。でも、Bさんと恋愛関係に発展することはあまり望んでいないってことだよ。

なんとなく「望む位置」の感覚はつかめたかな?

カワウソ先生の
ひなたぼっこ
COLUMN

── 心が苦しいときの対処法 ──

**仕事中も、友達といるときも、1人のときも、
彼のことばかり考えてしまって、苦しくてつらいです。
眠れないし、ご飯も喉を通りません。
何か少しでもラクになる方法はありますか？**

すごくわかるよ～!!

でも、彼のことで悩んで苦しかったり眠れなかったり、それがずっと続いたら、あなたの体も心も、もたなくなっちゃう。

これからお伝えする方法で、少しでも心をラクにしてね。


彼のことが頭に浮かんで苦しくなったら…、

STEP1:「いかん！　また彼のことを考えていた」と気づこう。

STEP2：声に出して、数分間何かを話してみて。

九九でもいいし、小説の朗読でもいい。仕事中なら、メールや資料を音読するのもいいね。

声量は普通でOK。仕事中ならすごく小さい声でも大丈夫だよ。

とにかく“声に出して何か話す”ことが大事！

人間は、何かを話しながら、他のことが考えられないようにできているから。

試しに九九を唱えながら、彼のことを考えてみて。ね？　同時は難しいでしょ？


STEP3：少し落ち着いてきたら、声に出さずに彼以外のことを考えてみよう。

自分が好きな物や興味があることならなんでもOKだよ。たとえば、料理が好きなら「試したいレシピ」を頭の中でどんどん思い浮かべていく。仕事中なら、仕事に集中しよう。

（※注意…受動的なことをしているときは彼のことが浮かびやすくなるので、避けようね。

例→テレビを見る、音楽を聴くなど）

STEP4：またいつのまにか彼のことを考えていたら……すぐSTEP1に戻る。
このSTEPをとにかく繰り返してみよう。
最初はなかなかうまくできず、すぐにまた彼のことを考えちゃうかも。
でもこれをやり続けると、最初は数分で彼に思考を引き戻されていたのが、
だんだん『彼のことを考えない時間』を増やしていけるよ。

少しでもラクになって、睡眠や食事をとって元気になってから、
「彼との幸せな恋愛」にむけて、できることをやっていこうね。

第2章

「彼があなたに望む位置」を近づけるためのルール

「彼があなたに望む位置」を近づけるルール

大前提として「彼があなたに望む位置」は、少しずつしか縮まりません。恋愛対象外だったあなたに対して、ある日突然「結婚したい！」と望むようなことは、滅多に起こらないのです。

ところが、悲しいことに「彼があなたに望む位置」が一気に遠ざかってしまうことは、よく起こります。昨日まではラブラブだった2人でも、彼が「絶対に許せない」と感じる行動をあなたがしてしまった瞬間に「二度と会いたくない」と思われて、好かれたくない【12番目の位置】に変わってしまうのです。

「彼があなたに望む位置」は**日々変動します**。

1ヶ月前は「付き合いたくない」と思っていたけど、最近は「付き合ってもいいかも」

というように、常に揺れ動くものだとイメージしてください。

では、彼自身に「あなたに望む位置」を近づけてもらうにはどうすればいいのでしょうか？

大事なルールが３つあります。

①「彼があなたに望む位置」よりも、少し遠くにいる女性になりきる
②彼の時間感覚に合わせる
③彼の価値観に寄り添う

それぞれ詳しくお伝えしていきますね。

ルール① 「彼があなたに望む位置」よりも、少し遠くにいる女性になりきる

恋愛プロファイリングを理解するために重要なことは、彼の「**望む位置**」という考え方です。結婚したい位置〜好かれたくない位置まで、彼にはあなたに「望む位置」があります。

「望む位置」より少しだけ遠くにあなたがいると、彼のあなたへの関心が高まり、近づけたくなります。「望む位置」より近いと彼は不快になり、「望む位置」より遠すぎると彼は興味を失います。

また、難しいことにちょうど「望む位置」にあなたがいても彼は安心して興味を失ってしまうのです。

さらに言えば、恋愛対象内の女性と恋愛対象外【12番目の位置】の女性では、同じ行動をしても全く違う印象を彼に与えるので注意が必要です。好きな人からされると嬉しいけれど、恋愛対象外の人からされると抵抗があるなどはその典型です。

たとえば、あなたが恋愛感情を持っていない、仲良しの同僚から告白された場合をイメージしてみてください。彼の気持ちに応えられない罪悪感で気まずくなり、今まで通り仲良くすることに抵抗を感じて、離れたくなりませんか？

このように、自分が相手に「望む位置」よりも近づかれると、相手から**逃げたくなってしまう**のです。

逆に、少し遠くにいるとあなたへの関心が高まり「もっと近づいてほしい」と思うようになる、というのが「彼があなたに望む位置」の性質です。

彼が「位置を近づけたい」と思うまで**少し時間がかかる**ことも多いですが、スタンスを変えず一貫して接していくことが重要です。

彼があなたに望む位置よりも、あなたが少し遠くにいる状態は、彼に「結婚しなきゃ」「付き合わなきゃ」というプレッシャーを感じさせません。彼が望むより少し遠くにいる女性になりきって過ごすことで、彼のあなたに抱く印象が変わり、言動にもゆっくりと変化が起こり始めます。彼の態度が少しずつ好意的になってきたり、あなたにアプローチしてくることなどが変化の兆しです。

では、どのように振る舞えば、彼はあなたのことを「少し遠くにいる」と感じ、「もっと近づいてほしい」と思うようになるのでしょうか?

具体的な方法については、第4章とコラム(P.49)で詳しくお伝えしますね。

注意点

彼が望む位置より近い位置を求めているると確信させる言動をしないことに注意しましょう。**好きバレ**も含みます。(※この本では彼に〝俺のことを恋愛対象として好きだ〟と確信させることを指します)

女性が好きバレしている状態で、彼に告白してうまくいくケースもありますが、それは

・もともと彼もその女性に対して「付き合いたい」あるいは「付き合ってもいいかも」と思っていた。

・付き合ってみたらその女性の居心地がとても良くて、彼の気持ちが一気に高まった。

など、稀なケースです。

◆望む位置より少し遠くにいるのに、変化が起きないケース

彼があなたに望む位置よりも遠くにいても、次のようなケースでは変化が起きないこともあります。

例

・彼に子どもがいる、借金があるなどの事情があり、あなたに望む位置を近づけるわけにはいかない場合。彼の状況が変われば、位置が変わる可能性があります。居心地の良さを提供しつつ、状況が変わるのを待ちましょう。

・現在「好かれたくない【12番目の位置】」や「特に意識していない【11番目の位置】」の位置にあなたがいる場合。あなたがどんなに遠ざかっても「彼があなたに望む位置」は変わらないことがあります。その場合はまず容姿を磨くなど、彼の恋愛対象に少しでも近づけるように行動しましょう。

・体の関係から恋人になれない、または、恋人だけど結婚にすすまない場合。あなたが彼から急に大きく遠ざかるのが最善なこともあります（P.115参照）。

ルール②彼の〝時間感覚〟に合わせる

ここでいう**時間感覚**とは、彼があなたに会いたいと思うまでの時間の感じ方です。人それぞれ時間の感じ方には違いがあり、彼とあなたとでは会いたいと思うまでの時間の長さが違います。

彼の時間感覚よりも速いペースで会い続けてしまうと、あなたを遠ざけたくなってしまうのです。

彼の気持ちがわかるように、食事でたとえてみましょう。

あなたは「1日3食」で十分だと思っているのに、3時間に1回ご飯を食べさせられ続けることを想像してみてください。

どんなに大好物のメニューでも、お腹が空く前にご飯が運ばれてきたら「ちょっと胃を休ませてほしい……」と思ってしまいますよね。

これと同じで、彼の時間感覚よりも速いペースで会い続けるのは、あなたに「会いたい、恋しい」と思う前にデートの日が来るということ。

このような状態が続くと、

「なんか最近、1人になりたいことが多い……」

「会っている時間が、前ほど楽しくない……」

と、彼が感じやすくなります。

さらには、

「俺はもう彼女に冷めたのかな」

「別れたほうがいいのでは？」

と思い始める可能性も高くなるのです。

彼のあなたへの〝時間感覚〟を知るための簡単な方法

では、彼の時間感覚を知るにはどうすれば良いのでしょうか？
実は、その方法はとても簡単。
受け身に徹して**〝彼が求めてから応じる〟**というシンプルなものです。

自分から「次はいつ会える？」と誘ったり、積極的に連絡をしたりせず、
・彼が**会いたいと言ってきたら、会う**
・彼が**連絡してきたら、返信する**
というスタンスを徹底しましょう。

受け身に徹することではじめて、
・今の彼は、**どのくらいの頻度であなたに会いたくなる**のか？
・今の彼は、**どのくらいの頻度であなたに連絡したくなる**のか？

という彼の時間感覚がわかってきます。

もし、あなたから彼に連絡をする場合は、彼の時間感覚よりも遅いペースにしましょう。

時間感覚は、ラブラブ期は短いが、交際が落ち着いてくると長くなる

・付き合うときに、彼は「週に1回は会いたい」と話していた。
・彼は「マメに会いたいし、会えるときはいつでも誘ってほしい」と言っていた。

このような彼の言葉をそのまま信じている女性は少なくありません。もちろん、彼が嘘をついたわけでもありません。

では、何が起こっているのでしょうか。


付き合い始めから3ヶ月頃まではラブラブ期です。ラブラブ期の彼は「無理してでも会いたい」「いつも相手のことが気になる」と、通常よりも時間感覚が極端に短くなってい

ます。当時の彼は本当に「マメに会いたい」と思っていたのでしょう。ラブラブ期には「これから半年後、1年後、会いたいペースは変わらないのか？」なんて考えないから、気持ちを素直に言っていたのです。

しかし、ラブラブ期が過ぎるにつれ、時間感覚は長くなっていきます。ラブラブ期の彼を「これが本来の彼」「このペースが続くはず」と思っていると、3ヶ月以降の彼の時間感覚の変化に「私に冷めたの？」「別れたいの？」と不安になるかもしれません。でも、その原因はたいていラブ**ラブ期が過ぎて、2人の関係が落ち着いたから**ということがほとんどです。

もし「最近なんとなく彼が冷たい」「なんか前と変わったかも」と思ったら、交際を始めてからどれくらい経つかをチェックしてくださいね。3ヶ月から半年であれば、2人の関係が落ち着いただけの可能性が高いので、不安になる必要はありません。

付き合ってから、あるいは体の関係を持ってから半年以降は**本来の彼の時間感覚**になっていきます。

時間感覚は彼を取り巻く状況によって変化する

彼があなたに会いたくなるペースは一定ではありません。たとえば、人間関係のトラブルに巻き込まれている、仕事で大きなミスをした、資格試験に打ち込んでいるときなどに変化します。彼のペースに合わせて接していけるように、彼を取り巻く状況を観察し続けましょう。

例1

いつもは週1くらいのペースで会おうと誘ってくる彼。しかし、今は2週間会えていないし、次のデートの予定すら決まっていない。

←

彼の状況の変化

スノボが大好きな彼は、冬になると会う頻度ががくんと低くなる。スノボの時期を過ぎると、いつものペースに戻る。

例2

毎日連絡をくれていた彼。数日前から返信のペースががくんと落ちた。

←

彼の状況の変化

仕事の繁忙期に入ると、あなたに対して「連絡したい」と思うまでが遅くなる。

このように、彼のあなたに会いたいペースが急に遅くなると「他に好きな人ができたのでは？」「私にもう冷めた？」と心配になるかもしれません。もちろんその可能性も否定できませんが、例のように、彼自身の状況の変化も大いにあり得ます。

次の第3章では『ルール③彼の価値観に寄り添う』について詳しくお伝えします。

カワウソ先生の
ひなたぼっこ
COLUMN

――「彼があなたに望む位置」よりも、少し遠くにいる女性の振る舞いとは？――

「彼が私に望む位置」よりも私が少し遠くにいると、私への関心が高まり「もっと近づいて」と思うようになることはわかったのですが、具体的にどのように振る舞えばいいのでしょうか？

イメージがわからないと“なりきって行動する”って難しいよね。

“少し遠くにいる女性の振る舞い”がイメージしやすいように、例をいくつかお伝えするね。

彼があなたに望む位置		あなたの振る舞い
5番目	付き合いたいが、結婚したくない	彼が私と付き合いたいなら、付き合ってもいいと思っている。 彼に執着していない。 ※あなたが結婚を急いでいない場合にとるべきスタンス
6番目	付き合ってもいいが、どうしてもではない	彼を男性として素敵だと思うが、全く執着はしていない。「彼が交際を申し込んできたら、こちらも真剣に考えようかな」程度。
7番目	すごく体の関係は持ちたいが、付き合いたくない	彼のことは男性として気に入っているが、彼に全く執着はしていない。彼が本気で私と付き合いたがらない限り、体の関係は持ちたくない。
8番目	できれば体の関係を持ちたいが、付き合いたくない	彼のことは男性として気に入っているが、付き合うことは考えていないし、彼に執着はしていない。
9番目	体の関係を持てたら嬉しいが、どうしてもではない	彼のことは人として好感を持っているが、異性として意識していない。

少しイメージできたかな？

彼があなたを近づけたいと思うまで、少し時間がかかることも多いよ。

スタンスを変えず一貫して接していくことが重要！

彼の状況や性質によっても“なりきる女性”の調整は必要になるよ。

たとえば、【4や5の位置】から結婚に向けて進みたい場合は、

P.111の結婚のプレッシャー作戦が効果的。

都合のいい関係から恋人を目指している場合は、P.115のフリー作戦が効果的だよ。

この2つの作戦中は、少し遠くにいるのではなく「彼があなたに望む位置」にい続け、

安心感や居心地の良さの提供が一定期間必要になるよ。

第3章

彼の特別な女性になるための“価値観分析”

彼専用の攻略本を手に入れる！〝価値観分析〟とは？

この章では、「彼があなたに望む位置」を近づけたくなるルール③彼の価値観に寄り添うについて詳しくお伝えします。

何を大切にするか、何を正しいと思うかという価値観は、人それぞれ異なります。あなたにとっては空気のように当たり前のことでも、彼にとっては違うことも多いのです。

違うことが多いからこそ、**価値観分析が重要**です。

価値観分析によって彼の価値観に寄り添った振る舞いができるようになると、彼は「あなたとは気が合う」と感じ、「あなたに望む位置」を近づけたくなります。

逆に、彼の価値観分析ができなければ、次の例のようにあなたの努力が逆効果になってしまいます。

例

彼は仕事熱心。恋人に求めていたのは「自分の仕事を理解して応援してほしい。多忙な自分に合わせてほしい」だった。しかし彼女は「大切に扱われるためには、３日以内の直前デートの誘いは断るべき」だと思っており、彼からのデートの誘いをほとんど断っていた。そして彼に「価値観が合わない」と振られてしまった。

彼の価値観を正しく知ることは、彼専用の攻略本を手に入れることと同じです。彼専用の攻略本を作成するつもりで、彼の価値観を理解していきましょう。

〝彼氏〟や〝夫〟という人は存在しない。彼そのものを見る

大切なのは、彼氏や夫という役割で見るのではなく、〝**彼そのものを見る**〟ということです。

なぜ役割で見てはいけないのでしょうか？

実は、昔の私は「彼氏なんだから○○して当たり前でしょ」と彼のことを役割で見てしまっていました。彼そのものを見るのではなく、役割の〝彼氏〟として、自分の価値観を押しつけていたのです。その結果、彼を疲弊させてしまい、次第に恋人としての関係が悪化しました。

私たちは無意識に、人を役割の目で見てしまいます。

「親なんだから○○してくれて当たり前」「友達なんだから、○○して当然」などと考え、接してしまいがちです。

人を役割で見ることは、相手の価値観を蔑《ないがし》ろにしてしまうのと同じです。相手を傷つけ、関係を悪化させることにも繋がります。

役割ではない〝**彼そのものを見る**〟と強く意識して、彼と接することが重要です。

ルール③彼の価値観に寄り添う

彼にあなたを「最高に居心地が良い女性だ！」「こんな気の合う女性に出会ったのは初めてだ！」と思ってもらうにはどうすれば良いのでしょうか？

難しそうに感じるかもしれませんが、ルールはシンプルです。

彼の価値観に共感し、寄り添った言動をし続ける

彼に「最高に価値観が合う女性」と思われるためには、彼の価値観に共感し、寄り添い続け、価値観を否定するような発言や行動はしないことが重要です。

なぜ**彼の価値観に共感し、寄り添った言動をし続ける**ことが重要なのでしょうか？

普段から私たちは無意識に、たくさんの情報に触れています。

彼が「いいな」「素敵だな」と感じる価値観とあなたが合致するほど、自分の味方・理解者だと思うようになり、居心地の良さを感じ、無意識にあなたのことを好きになっていくからです。他のどんな女性といるよりもあなたといるのが嬉しい、楽しいと思うようになるのです。

では、どのようにしていけば良いのでしょうか。具体例でお伝えしますね。

例

彼の大切にしている価値観が、「ライブが生きがい、忙しくてもライブだけは行きたい」という場合

あなたがすべきOK行動

彼のこの価値観を尊重するのはもちろんのこと、できる限り「私も彼に影響されてライブが好きになってきた」と賛同する。もともとあなたがライブ好きであれば、「彼と一緒だとますますライブが楽しい」というように振る舞い、彼と一緒にライブに行って盛り上がったり、1人でもライブに行ったり、彼が興味を持ちそうなライブにアンテナを張ったりして、共通の話題を増やす。彼から見て「この子とは本当に価値観が合うなぁ」と感じるように振る舞う。

あなたが避けるべきNG行動

彼がライブ中心の生活や選択をしたときに、彼を責めたり、否定したりする。たとえば、「そんなにライブに行っててお金大丈夫?」「ライブだけじゃなくて○○とか△△のほうが楽しいよ」「ライブよりも、2人だけで会いたい」などの発言も、これにあたります。

例

彼の大切にしている価値観が、「束縛されるのがすごく嫌い」という場合

あなたがすべきOK行動

「わかる〜。束縛ってほんとつらいよね」と彼の気持ちに共感し、賛同する。表面的に合わせていると思われないように、できれば短いエピソードを入れる。たとえば「私も、昔の彼に『会社の飲み会に行くな』って怒られて、つらかったからわかる」といったふうに。

あなたが避けるべきNG行動

彼を束縛したり、その価値観を否定したりする。「なんで女性と2人で会ったの？」「毎日連絡してね」「飲み会が終わったら連絡して」「束縛を嫌がるのはやましいことがある証拠」など。

彼本人に対してでなくても、ニュースを見て「この芸能人、恋人がいるのに女性

と遊びに行ったりして、恋人がかわいそう」や、知人について「彼女がいるのに女性と2人で飲むなんて」といった発言もNG行動にあたります。

なお、過去の恋愛での痛みや苦しみから「浮気は絶対に許せない」などの価値観を重要視している場合には特に注意が必要です。

あなたから「そういうことをしそうな女性だ」とその片鱗を感じると一気に警戒します。**痛みや苦しみを感じやすくなっているポイント**に対しては、ささいな刺激でも「冷めた」「結婚相手にはできない」「もう会いたくなくなった」といきなり**恋愛対象外になってしまう**場合もあります。

仮にあなたに浮気した過去があっても明かさず、浮気しそうと一切思われないよう行動することが大切です。

価値観分析の進め方

では、ここからは実際に**彼の価値観分析**を進めていきます。

「分析ってなんだか難しそう……」と思っている方も安心してください。取り組みやすいものから順番に、１つずつ進めていくことで必ず〝彼の大切にしている価値観〟が見えてきます。

大好きな彼が「あなたに望む位置」を近づけたいと思ってくれるように、一緒に彼への理解を深めていきましょう。

価値観分析を進める際の注意点

彼の価値観がわかるまでは、世の中の考え方に合わせる

たとえば、「約束は守る」「言葉遣いが丁寧」「遅刻はしない」など、**世の中が良しとする考え方**があるものは、そちらに寄せておきましょう。

彼の価値観がわかるまでは、自己主張は控えめにする

恋愛において容姿を磨くことは大前提ですが、彼の価値観がわかるまでは、お金のかけすぎや奇抜な格好は控えてくださいね。趣味なども、彼がアウトドア派かインドア派かわからないうちは〝**どちらも楽しめる**〟というスタンスで接します。

わかってきた部分から、徐々に彼の価値観に合わせていきましょう。

また、否定的な発言も控えたほうが良いです。たとえば「子供向けのアニメにハマっている大人は気持ち悪い」というような発言をした場合、もし彼がそのアニメを好きだったとしても言い出せなくなって「この子とは気が合わないな……」と思われ、位置を遠ざけられてしまいます。

彼の価値観は時間経過や状況によって変化する

「友達がお酒に酔って騒いでいるのは気にならないけど、恋人の酒癖が悪いのは絶対に嫌」というように、「彼が望む位置」によっても価値観は変化します。

また、付き合う前や恋人になってすぐのラブラブ期は、彼の本当の価値観が見えにくくなります。「自分を大好きになってほしい」「自分をよく見せたい」という彼の思惑が、彼の言動を変えてしまうからです。

恋人になって半年以上経過してからが〝本来の彼〟と思って分析を続けましょう。

彼の価値観を知るための4つの質問

①絶対に許せないこと／されて嫌なこと

彼が「絶対に許せない」「されて嫌だ」と感じる行動をあなたがしてしまうと、彼があなたに望む位置が一気に遠くなってしまいます。**恋愛対象外になってしまうと挽回が難しい**ので、まずは彼が「絶対に許せない」「されて嫌だ」と思っている価値観の分析から始めましょう。

恋愛でされて嫌なこと

・今までの恋愛でされて嫌だったことは何か？
・これだけは絶対に許せないと感じることは何か？

恋愛以外でされて嫌なこと
・仕事で嫌だと思うことは何か?
・友人からされて悲しかったことや、嫌だったことは何か?

このような質問で彼が「嫌」「苦手」「許せない」と感じる行動がわかったら、そういった要素を持っていない女性として接し続けましょう。

たとえば、彼から「友人が裏で自分を悪く言っていたと知ってすごく嫌だった」というエピソードを聞けた場合は、〝裏表がなく、誰の悪口もグチも言わない女性〟になりきります。

②恋愛観・結婚観
彼が**恋愛において大切にすること**はなんでしょうか?
・今までされて嬉しかったこと
・付き合うことや結婚について

・過去の恋愛遍歴

彼からこのような話をしてきたら、聞き役に徹して話を盛り上げましょう。日々の何気ない会話の中で、このような話を織り交ぜられそうなタイミングがあれば、あなたから聞いてしまっても大丈夫です。

ただし、なかにはしないほうがいい質問もあります。

それは「どんな女性が好き？」という直球の質問です。この質問は次の3つの理由でおすすめできません。

理由1　好きバレ

あなたが彼に片想いをしている状態なら、特に注意が必要です。「彼があなたに望む位置」よりも近い位置を望んでいると確信されてしまうと、彼に位置を遠ざけられてしまう可能性があります。

彼が嘘をつくと断定するわけではありませんが、当たり障りのないことを答える可能性は高いです。

逆の立場に置き換えてイメージすると、わかりやすいと思います。


たとえば、あなたが「高収入がいい」「イケメンがいい」と思っているとします。だからといって、出会いの場で「どんな男性が好き？」と聞かれても「高収入のイケメンがいい！」とは答えないですよね。おそらく印象が悪くならないように「優しくて、誠実な人が好き」など、自分の価値観は重要視しつつも当たり障りのない回答をするのではないでしょうか。

理由2　彼が本音を言うとは限らない

同じことが彼にも言えます。堂々と言うのが憚られるようなことの場合、自分の本音を隠してしまうことが多いのです。

たとえば、「顔がすごく可愛い子」「胸が大きくないとダメ」「体の相性が大事」など。

これらはすべて、正直に言ったら「ひどい」「サイテー」と非難されてしまいそうなことです。

よほどデリカシーのない人でない限り、彼にとってどんなに重要だとしても、そのような価値観を打ち明けてはくれません。

理由3　彼の価値観と行動（性質）にギャップがある

彼は「優しくて怒らない、居心地の良い彼女がほしい」と本気で願っている。しかし、実際はいつも「容姿はすごく可愛いが、感情の起伏が激しく彼を振り回す女性」とばかり付き合ってしまう。

このように、彼の「こうありたい」という価値観と、実際に彼が惹かれて付き合っている女性のタイプが異なる、ということはよくあります。

彼自身も自分の価値観と実際の行動のギャップに気づいていないので、女性のタイプを直球で質問しても、本当の価値観を答えることができないのです。

③好きなこと・良いと思っていること

「どんな女性が好き?」と直球で聞くのがダメなら、彼の恋愛観・結婚観をより深く分析するにはどうすればいいのでしょうか?

実は、彼の〝特別な女性〟に近づくためのヒントは、彼がたくさんの時間を一緒に過ごしている〝彼の親友〟や〝仲のいい友達〟に隠されているのです。

日常の会話の中で、彼の友人や親友について尋ねてみましょう。

たとえば、「○○くんの親友ってどんな人?」「○○くんは友達とどう過ごすことが多いの?」「親友との思い出深いエピソードがあれば教えて?」といった話題を振ります。エピソードで話してもらえたほうが、彼が親友のどこに価値を高く感じているのかを読み取りやすいので効果的です。

「**彼から見た親友像**」「**親友のいいところ**」に注目して、彼の価値観を分析しましょう。

例1

「あいつといると、気を遣わないんだよな～」

↓気を遣わないでいられる居心地の良さに価値を感じる。

例2

「親友は努力家でさ、学生時代から資格試験をがんばってて、卒業前に何個も資格を取ってたし、今も同期で一番出世してるよ。そいつと話すと俺もがんばらなきゃって思えるんだよね」

↓努力家なところに尊敬と価値を感じる。

例3
「あいつはめっちゃ面白くて、一緒にいると本当に楽しい。いつもみんなでバカやってゲラゲラ笑ってる」
↓面白くて楽しい時間に価値を感じる。

何気なく発する言葉にも、その人の価値観は表れます。

こういった、彼が親友に対して好ましい、居心地が良いと感じる価値観は、**恋人に求める価値観にも繋がっている**のです。

「でも、同性の親友を見る目と、女性を見る目は違うのでは？」と思った方もいるかもしれません。

あなたの親友を思い出してみてください。あなたは親友のどんなところが好きですか？

「私がつらいとき、いつも優しい」「尊敬できるところがたくさんある」「裏表がないし、嘘をつかないから信頼できる」など。あなたの大切な親友だから、好きなところはたくさんありますよね。

もし、これらがすべてそろった男性が目の前に現れたら……。

「そんな人が実在するなら結婚したいよ！」という気持ちになるのではないでしょうか。

同性の親友に対しての価値観には「性的魅力」などは含まれませんが、それ以外の「親友のこういうところが好き」と感じるポイントは、恋愛に求める価値観と一致していることも多いのです。

注意点

彼の親友が「浮気性」「ギャンブル依存」などの場合は、「気が合う」「面白い」といった彼の発言を、そのまま「特別な女性」に近づくためのヒントと受け取ってはいけません。あくまでも「同性同士でわかり合える楽しさ」や「ノリが合うところがいい」という価値観であるだけで、「女性にも浮気をしまくってほしい」「ギャンブル依存の女性がタイプ」

ということではないので注意しましょう。

ただ、「浮気やギャンブルに対して寛容な女性がいい」という価値観である可能性は高いです。

④お金と時間を何に使っているか

お金と時間の使い方には、彼の価値観が強く反映されます。

何かを「所有する」ことも、逆に「所有しない」と決めていることも、彼の価値観の表れです。

彼の趣味や興味関心について話題を振って、ノリ良く楽しく笑顔で話を盛り上げながら、彼の価値観を引き出しましょう。

彼に趣味がない場合や、仕事で忙しくて自分の時間があまりない場合には、

「お金も時間も自由に使えるとしたら、何にどう使う？」

「理想の1日の過ごし方って、どう思う？」

といった質問をしてみるのもおすすめです。

こうした〝欲望が丸見えになる質問〟に答えてもらうことで、彼が何を大切に思っているのかが、わかりやすくなります。

注意点

すべての質問を一度に聞こうとすると尋問のようになってしまうため、雑談の中にうまく散りばめながら徐々に聞いていきましょう。

また、あなたがどんなに「理解できない」と感じる価値観でも、その気持ちを言葉や態度には出さないでくださいね。彼があなたの気持ちを察して本心を隠すようになってしまうと、彼の価値観がわからなくなってしまいます。

彼の話に**共感しつつ、彼が楽しく話せるように**質問をしていきましょう。

彼のコンプレックスへの対処法

人は誰でもコンプレックスを持っています。

コンプレックスは触れられたくない部分なので、あなたから質問をしてはいけません。

彼が自分から言及するまで、何も触れずに、全く気にしていない態度をとり続けましょう。


彼が自分からコンプレックスについて打ち明けてくれた場合、気にしていないことを伝えた上で、彼の得意なことや自信があることにフォーカスし、寄り添った接し方をすることが重要です。

「自分のコンプレックスを気にしない、むしろ自分のことを好ましいと思ってくれる女性」だということが彼に伝わると、「彼があなたに望む位置」を近づけてもらいやすくなります。


どのような接し方をすればいいのか、具体例でお伝えしますね。

◆見た目でわかりやすいコンプレックスの場合

例

彼は優しくて真面目だが、低身長なことがコンプレックス

あなたがすべきOK行動

「私は身長は全く気にしない。そんなことよりも、あなたの優しいところや真面目なところが人として重要だし、魅力的だと思う」という一貫した態度をとる。一度伝えるだけではなく、彼が身長を気にする場面では、必ず伝えるようにする。

あなたが避けるべきNG行動

彼とのデートで高いヒールを履く、高身長の芸能人や知人を褒めるなど、彼のコンプレックスを刺激する言動。

背が低いこと以外にも、太っている／痩せている、薄毛や肌質などは見た目でわかりやすいので、「もしかしたらコンプレックスなのかも……？」と考えて、触れないように気をつけて接しましょう。

◆見た目ではわかりにくいコンプレックスの場合

例

彼は仕事熱心だが、低学歴なことがコンプレックス

あなたがすべきOK行動

「私は学歴は全く気にしない。仕事に学歴なんて関係ないと思う。大学に入っても遊んでばかりで何もしない人もたくさんいる。仕事熱心なあなたのほうが素敵」という一貫した態度をとる。一度だけではなく、彼が学歴を気にする場面では、必ず伝えるようにする。

あなたが避けるべきNG行動

学歴の高い友人や知人を褒める、誰かの学歴を気にするなど、彼のコンプレックスを刺激する言動。

学歴以外にも、年収・借金・家族（宗教、毒親、貧困家庭）・持病（肉体的、精神的、たとえば鬱での休職）などの見た目でわかりにくいコンプレックスがあるかもしれません。コンプレックスが不明なうちは**否定的な発言や強い主張は控え**ながら、彼と接していきましょう。

質問だけではわからない、彼の隠れた価値観を分析する

日々の会話の中で、４つの質問によって彼の価値観を分析し続けても、それだけではわからない・答えてもらえない「彼の隠れた価値観」が存在します。

「どんな女性が好き？」という直球の質問をしないほうがいい理由でもお伝えした通り、好みの女性についての価値観は、彼は自分の本音を隠してしまうことが多いのです。

たとえば、あなたが痩せすぎていることを彼が不満に思っていても、その気持ちを直接的には伝えてくれない可能性があります。その代わり、「痩せすぎると免疫が下がるんだって」などと言ったり、「もっと食べたほうがいいよ？」と頻繁に何かを食べさせようとしたりと、間接的にその気持ちを伝えてくるのです。

こういった言動には、彼の「こんなに痩せすぎてなければ、もっと好きになれるのに……」という本音が隠されています。

このように、あなたを傷つけたくなくて、気を遣って本音を言わないことも多いのです。口にするのが憚られるようなことの場合、彼にとって大事な価値観だとしても、本音を隠します。

彼があなたに気に入られたいと思っていたり、あなたに望む位置を近づけたがっている場合は特に、彼の本当の価値観が見えにくくなります。

彼が〝口にするのが憚られるような価値観〟をあなたに打ち明けるのは

・あなたが同じ価値観を持っているとわかったとき
・あなたにはどんな自分を知られても大丈夫と思ったとき

このどちらか、あるいは両方が満たされたときです。

彼の本当の価値観を深く知るために

「彼の隠れた価値観」は、ジグソーパズルのように複雑に組み合っていますが、ひとつひとつ丁寧に理解していけば、今の彼の価値観を理解する手がかりになります。

彼の本当の価値観を深く知るためには、〝**行動の選択のクセ**〟と〝**発言の頻度**〟を長期的に観察する必要があります。

1つの発言で嘘をつくことはできますが、〝**行動の選択のクセ**〟と〝**発言の頻度**〟を徹底的にそろえて嘘をつくことは困難だからです。

◆行動の選択のクセを知る

彼が言葉でなんと言おうと行動で選択し続けていることが彼の価値観です。

たとえば彼が「1人で家にいるのが好き、誰かといるのは疲れる」と言っていたとしても、友人との飲み会がとても多いなら、その行動の選択こそが彼の価値観です。

行動の選択に価値観は反映されやすいのですが、なかには彼の発言と行動が違うこともあります。

例

彼は「無駄遣いはしたくない。コスパが大事。同じサービスなら安いほうがいい」とよく口にする。お得な情報が大好きで、外食時はたびたびクーポンを使う。ここまでは言動が一致している。

ところが、旅行のためにホテルや飛行機を予約するとなると、早めに計画を立てて準備するのが苦手なため、いつも直前の予約になってしまい、出費がかさむ。

このように、彼の発言と実際の行動が一致していない部分があると、「言っていることとやっていることが全然違う」と、あなたは混乱するかもしれません。

このような状況ですと、行動を見ているだけでは、彼の価値観を見誤ってしまいます。

では、どのように見分ければ良いのでしょうか?

◆発言の頻度

彼の本当の価値観を見分けるために、大事なポイントは発言の頻度です。

ひとつひとつの発言ではその場に合わせて本音を隠せても、長期的にすべての発言に気を配るのは困難です。

彼が頻度高く話していることほど、彼にとって大切な〝本当の価値観〟である可能性が高いです。

彼の価値観が見えてきたら、それに合わせて共感し、寄り添っていきます。

彼の言葉にはすべて、彼の価値観が表れるということをいつも意識してくださいね。

価値観は彼があなたに望む位置や時間経過、状況によって変わることもあります。1つの情報で決めつけず、彼の日々の会話や行動から現在の価値観を探っていきましょう。

彼の言葉だけではなく、行動も併せて観察していくことで、よりいっそう彼に対する理解が深まります。

彼の重要でない価値観を知ることも、実は大切

大切なのは、彼の重要な価値観を知ることだけではありません。

彼にとってはどちらでもいい価値観、こだわりがない価値観を知るのも実は大切なのです。

なぜなら、彼がこだわりがないことに対しては、あなたが「気をつけなきゃ」と気負う必要がないからです。


彼に好かれたいと思うあまり、何もかもすべて彼の理想通りになろうとすると、あなたは疲れてしまいますよね。

彼のこだわりがない価値観を知れば知るほど、あなたのがんばらなくてもいいこと、自由にしてもいいことが増えていきます。重要な部分はおさえながらも、ラクできるところはラクをして、彼を知ることを楽しみましょう。

例

・彼はあなたの服装にこだわりがない　↓　あなたは服装は自由にしていい
・彼はあなたのお酒の飲み方にこだわりがない　↓　あなたはお酒の飲み方は自由にしていい
・彼は女性が料理することにこだわらない　↓　あなたは料理については自由にしていい

ただし、いきなり極端な行動をするのはNGです。

彼が「お酒が飲めるのっていいよね」や「ファッションや見た目を気にしない」と言っていたとしても、実際に泥酔したり、とても太ったりしたら冷めてしまうこともあります。

彼の様子を見ながら、徐々に自由にしていきましょう。

彼にどこまで合わせればいいの？

『彼の価値観に共感し、寄り添った言動をし続ける』というルールをお伝えすると、「何もかも彼に合わせなきゃダメですか？」と聞かれることがあります。

結論から言うと、あなたが合わせてもいいと思えるものは、合わせるのが最善です。

ただし、あなたにとって「これは私の生きがいと言っても過言ではない、手放すのはつらすぎる」という価値観は、最初から彼に合わせなくて良いと思います。

なぜなら、手放すと苦痛を伴うほどあなたにとって大切な価値観なら、交際相手、そして結婚相手という、今後**長く一緒にいる相手の理解が必要不可欠**だからです。

例
「オシャレが生きがい。オシャレをしないと、心が沈んでしまう」
「海外旅行が大好き。旅をしないと、生きていても虚しくなってしまう」
「彼は子どもはいらないと言うけれど、私は絶対に子どもを産みたい」 など

これだけはどうしても手放せない！ というものは、彼に合わせる必要はありません。それだけあなたにとって大切な価値観なのですから。もしもそれで彼が離れてしまうなら、残念ですが、お互いにもっと別の幸せなご縁があると考えたほうが良いでしょう。

つまり、彼から好かれることと、あなたの大切な価値観を天秤にかけ、重いほうを選択するということです。

また、次のような質問を受けることもあります。

「元彼には『合わせられすぎて重かった、もっとワガママを言ってほしかった』と振られました。合わせられるのが嫌な男性もいるのでは？」

断言しますが、彼に合わせたことが原因で振られたわけではありません。もちろんあなたが、いつもあからさまに彼の顔色を窺って合わせていたなら可能性はありますが、そうでないなら彼の言葉は真実ではありません。

例

・彼の求める楽しさや居心地の良さのレベルに届かなかった
・他に気になる人ができた
・あなたから会いたがる頻度が高く、彼が期待に応えられなくなった　など

他のことが原因だとしても彼はあなたを傷つけないため、もしくは**彼自身さえも本当の理由に気づいていない**ため、「合わせられすぎて……」と言うことがあります。

彼から「こんなに気が合う人っているんだ！」と思われるように、ナチュラルに合わせていくほど彼にとってあなたは貴重な存在になれます。どうしても譲れない価値観は死守してＯＫですが、それ以外は彼に合わせて寄り添っていきましょう。

「価値観が合う」を掛け合わせ、彼にとっての〝唯一無二〟を目指す

「彼の特別な女性になれる自信がない」と感じてしまったときは、掛け算して考えてみましょう。

彼にとって「価値観が合う」と思う要素をあなたが複数個持っていれば、それらを掛け合わせることであなたの希少性は増していき、「こんなに気が合う女性はなかなかいない」と思われる存在になります。

例

「一緒にいて楽しい」×「いつも機嫌がいい」×「ある程度料理ができる」×「ある程度掃除ができる」×「金銭感覚が合う」×「貞操観念がある」×「容姿が彼の好みの範囲内」×「趣味が合う」×「約束を守る」×「嘘をつかない」×「優しい」

これらがそれぞれ65%の女性に当てはまるとします（あくまで仮定です）。

すると、100×0.65×0.65＝…0.87%（約1%）となる。

つまり、これらすべての要素がそろえば、あなたは彼にとって１００人に1人しかいない、**貴重な女性になれる**ということです。

とはいえ、「どうせすごく可愛い子が現れたら、すぐにそっちに行くんでしょ」と思うかもしれません。たしかに、そういったことは起こります。

しかし、可愛いだけでは続きません。短期的に恋人になれたとしても、長期的な交際や結婚は容姿の良さだけではカバーできないからです。彼が感じる居心地の良さなど、内面も必須です。

だからこそ、あなたに対して彼が**「価値がある」と感じる要素の掛け算**により、長期的に特別な存在でいられる可能性を高めることができます。

10の価値観チェックポイント

たとえば、彼のどのような価値観を知っていったら良いのでしょうか。
私が恋愛プロファイリングするうえで、相談者さんからヒアリングする例として10のチェックポイントを用意したので参考にしてみてくださいね。

注意点
彼があなたに熱量が高いうちは、本来の価値観が見えにくいです。「あなたに自分を大好きになってほしい」「僕ってこういう人間だと思わせたい」という、あなたに対して印象を良くしたい彼の意図があるからです。
長期的に彼の**行動の選択のクセ**と**発言の頻度**を観察していきましょう。

①〝ケアするのが好き〟⟷〝お世話されるのが好き〟

例

彼から「後輩の昇進祝いをした」「親に旅行をプレゼントした」など、誰かを喜ばせたエピソードをよく聞く。また、あなたが喜びそうなことを自発的にやってくれることが多い。

↓〝ケアするのが好き〟という価値観の可能性が高い。

例

彼はお願いすると行動してくれるが、お願いしないと行動してくれないことが多い。「お世話するのが苦手なんだよね」という発言があった。周りの人がケアしてくれて助かった、嬉しかった、というエピソードを聞いたことがある。

↓彼は〝お世話されるのが好き〟という可能性が高い。

② 〝前もって予定を決めたい〟⇅〝その日に気分で決めたい〟
③ 〝節約したい〟⇅〝我慢せずお金を使いたい〟
④ 〝1人でいたい〟⇅〝人といたい〟
⑤ 〝恋愛の時間を多く取りたい〟⇅〝仕事や趣味が大事〟
⑥ 〝お出かけしたい〟⇅〝家でまったりしたい〟
⑦ 〝体の関係を頻繁に持ちたい〟⇅〝体の関係はなくてもいい〟
⑧ 〝意見を主張したい〟⇅〝気持ちを察してほしい〟
⑨ 〝常にモテたい〟⇅〝特にモテを意識していない〟
⑩ 〝面白さや楽しさを重視する〟⇅〝落ち着きや癒しを重視する〟

バランス良く、どちらもエピソードに心あたりがある場合もありえます。

たとえば、彼はパソコンや趣味関連のことだとあれこれ他人に尽くしたり、頼んでいないのに色々とケアしてくれたりする。一方で、デートプランの計画や、レストランの予約は頼まないとやってくれない。ここに行きたいとお願いすると、連れていってくれる。

だとしたら、ある分野においてはケアしたいけど、ある分野においては自分がお世話されたいという価値観がわかります。わかったところから合わせていきましょう。

◆恋愛プロファイリングにおいて〝決めつけ〟は大敵!

彼の価値観は時間経過や状況によって変化します。言っていることと実際の行動にギャップがある場合もあるので、1つの発言や行動だけを見て「彼の価値観はこれだ」と決めつけないようにしましょう。

仮説を立てて観察をすることで彼の価値観を分析し続け、**〝今の彼の価値観〟**を正確に理解することが恋愛プロファイリングでは大切です。

―― 彼の“がんばれない”を理解する ――

彼にイライラしちゃうことってあるよね。
もしかしたらそれは、あなたと彼の“がんばれない”が違うからかも。
このことがわかると、彼に対するイライラは今よりグッと減るよ。

お友だちの“がんばれない”例でお伝えしていくね。
パンダちゃん → 空腹　あざらしくん → 眠気

パンダちゃんは、「お腹が空くとイラつく！ 食べたら苦しむってわかっていても食べちゃう。空腹だけはムリ！ ガマンするくらいなら具合が悪くなるほうを選ぶ！」と宣言し、カビが生えたパンを食べて具合が悪くなっていたよ。


あざらしくんは、とにかく眠気に勝てません。ご飯を食べながら寝てしまう。

ときには歩きながら寝てしまい、階段から落ちそうになるという、命にかかわるがんばれなさ。

何かの頼みを快諾しても、眠くなると約束を守ってもらえません。

でもそれは、私との約束を軽んじているわけではなく、
私を友人として大切に想っていないわけでもないんだよ。がんばれないことだっただけ。

私は眠気に強いほうだから“眠気のがんばれなさ”を実感できないけど、何度か手術経験があるので、「麻酔で一瞬で意識がなくなる、抵抗できない感じかな」なんて想像しているよ。

そう思うと「しょうがない」と納得できる。眠気によって約束を守れなかったことは、
私に対して大切に想っているかどうかと全く無関係なことがわかるよね。

気力や根性ではどうにもできないくらい、本人にとってはがんばれないんだよ。

がんばれないことはある程度あきらめ、工夫して接していくしかない。

たとえば、パンダちゃんのように空腹ががんばれない子と一緒に行動するときは、
おやつを常備して、2時間ごとに「お腹空いてない?」と声がけする、など。
あざらしくんのように眠気タイプは、寝不足にならないように睡眠をとってもらう。
眠いときには寝てもらう。お願いごとはたっぷり睡眠をとってからに。

がんばれないことは人それぞれ。
・忘れっぽい人　・時間にルーズな人　・ダイエットできない人　・予定がたてられない人
あなたの好きな彼は、どんなことが“がんばれない”かな?

「私への気持ちがあればがんばれるでしょ」と責めるのではなく、
がんばれないことを受け入れ、彼の性質と上手に付き合っていけるよう、
対応策を考えて接していくと、彼にとってあなたはさらに居心地の良い、理解者になれるよ〜！

カワウソ先生の
ひなたぼっこ
COLUMN

―― 無意識だから危険な“恋人フィルター” ――

NG行動以外にも、常に意識してほしいのが“恋人フィルター”の存在だよ。
恋人フィルターとは、彼を恋人という役割で見るということ。
恋人フィルターをかけて見ることは、とても危険な行為。

無意識に行われるため、恋人フィルターの存在に気づいていない人がほとんど。
恋人フィルターは、あなたの彼に対する言動に悪影響を及ぼすよ。
「恋人なんだから○○してくれて当たり前」というように、あなたが
勝手に思い描く恋人像を彼に押しつけ、彼に不平・不満をぶつけてしまうからね。
〈例〉

あなたは、恋人とは休みが合うならデートするのが当たり前だと思っている。
約束していなくても、予定が入りそうなら、お互い事前に連絡するのがマナーだと
思い、今までもずっとそうしてきた。ところがある日、彼があなたに断りなく
連休に友人との予定を組んだ。あなたとデートの約束はしていなかったものの、
連休はデートだと思っていたのであなたはショックを受けた。あなたはつい
「私に許可を取ってから、友人と約束してほしかったのに」と彼を責めてしまった。

これは、恋人フィルターによって彼を責めるという典型例だよ。
このように、恋人フィルターが発動すると、あなたの思い描く恋人像から
彼の言動が外れるたびに、イライラして不満をぶつけやすくなっちゃう。

彼が恋人になる前は、彼に勝手な期待をしたり、彼を責めたりすることはなかったはず。
彼が恋人になってからも、彼を恋人という役割で見るのではなく、
彼そのものをしっかり見ていこうね。

彼の言動にイライラや不満を感じたときは、「いま恋人フィルターかけてないかな?」と一度立ち止まってみてね。

たとえば、彼から丸一日LINEの返信がこなかったとする。
でも、もしこれが友人だったら?
「なんで早く返信しないの?　私が大事じゃないってこと?」なんて
相手を責める気持ちにはならず、「忙しいのかな、もう少し待ってみよう」と
気にせず過ごせるんじゃないかな。

無意識のフィルターによって、あなたが苦しんでしまうことがないように、
恋人フィルターを外すことを習慣にしていこうね。

第4章

彼の心を
動かし、
彼の心を
手に入れるには

恋愛を次の段階に進めるために重要な『居心地の良さ』

彼の恋愛には段階があり、最初は「あなたとキスしたい、体の関係を持ちたい」だったものが、一緒に過ごすうちに次の位置を意識し始めます。「**付き合いたいかどうか**」、もう恋人同士なら「**結婚したいかどうか**」というようにです。

本章では、〝彼と恋人になる方法〟や〝彼と結婚する方法〟を、具体的にお伝えしていきます。

これまで学んできた、彼自身に「あなたに望む位置」を近づけてもらうための大事なルールは、

①「彼があなたに望む位置」よりも、少し遠くにいる女性になりきる
②彼の時間感覚に合わせる

③彼の価値観に寄り添う

の3つでした。

彼が「もっと近づいてほしい」と感じるくらい、少し遠くにいる女性のように振る舞い、「彼が求めてから応じる」という受け身に徹することで彼の〝**時間感覚**〟を理解する。

そして、彼の価値観に共感し、寄り添った言動をし続けることで、彼が**居心地の良さ**を感じ、無意識にあなたのことを好きになっていく、というものです。

彼との恋愛を次のステップに進めるためには、この**居心地の良さ**がとても重要です。**居心地の良さ**はあなたが現在どの位置にいたとしても、「彼があなたに望む位置」をさらに近づけるためには必須だからです。たとえ一時的に位置が近づいたとしても、**居心地の良さ**が欠けたままでは、再び彼に位置を遠ざけられてしまいます。

ずっと一緒にいて楽しい相手、疲れない相手や、穏やかで**居心地の良さ**を感じる相手には、これからの人生を共にしたいと思って「彼があなたに望む位置」が結婚に近づきます。

彼は今、あなたとの関係にどのくらい**居心地の良さ**を感じているでしょうか？

まずは、次のチェックシートで確認してみてくださいね。

☑ 居心地の良さチェックシート

いつもそう・2〜3回会うと1度はある・たまにある・
滅多にない・全くない　のうち、
どれが近いかチェックしていってね。

1 彼に不満を言う。ダメ出しをする。
「ちゃんと連絡してよね」「お皿洗いが雑で汚れが落ちてない」など。

- いつもそう（0点）
- 2〜3回会うと1度はある（2点）
- たまにある（5点）
- 滅多にない（8点）
- 全くない（10点）

＿＿＿＿点

2 彼にネガティブな感情を出すことがある。
不機嫌になったり無視したり、泣いたり別れを匂わせたりするなど。

- いつもそう（0点）
- 2〜3回会うと1度はある（2点）
- たまにある（5点）
- 滅多にない（8点）
- 全くない（10点）

＿＿＿＿点

3 不安や不満、聞きたいことがあるときに、「なんで？」と彼にあれこれ質問してしまう。納得がいかないときは、すぐに彼と話し合おうとする。

- いつもそう（0点）
- 2〜3回会うと1度はある（2点）
- たまにある（5点）
- 滅多にない（8点）
- 全くない（10点）

＿＿＿＿点

4 彼に仕事や人間関係のグチや不満、悩みなどを話す。

- いつもそう（0点）
- 2〜3回会うと1度はある（2点）
- たまにある（5点）
- 滅多にない（8点）
- 全くない（10点）

＿＿＿＿点

5 彼から見てあなたは機嫌が悪いことが多い。または感情的であることが多い。

- いつもそう（0点）
- 2〜3回会うと1度はある（2点）
- たまにある（5点）
- 滅多にない（8点）
- 全くない（10点）

＿＿＿＿点

❻ あなたと一緒にいるときの彼は楽しそう、または幸せそう。
あるいは話が盛り上がる。

- いつもそう（10点）
- 2〜3回会うと1度はある（7点）
- たまにある（5点）
- 滅多にない（2点）
- 全くない（0点）

＿＿＿＿点

❼ 彼からの誘いで会う、彼からの発信で連絡を取る。

- いつもそう（10点）
- 2〜3回会うと1度はある（7点）
- たまにある（5点）
- 滅多にない（2点）
- 全くない（0点）

＿＿＿＿点

❽ 彼に「ありがとう」「嬉しい」など、言葉や態度で感謝の気持ちを表現する。

- いつもそう（10点）
- 2〜3回会うと1度はある（7点）
- たまにある（5点）
- 滅多にない（2点）
- 全くない（0点）

＿＿＿＿点

❾ 日々のデート代や記念日のプレゼントの費用など、
彼の金銭的負担に配慮している。

- いつもそう（10点）
- 2〜3回会うと1度はある（7点）
- たまにある（5点）
- 滅多にない（2点）
- 全くない（0点）

＿＿＿＿点

❿ 彼の仕事ややりたいこと、自由を尊重して彼に合わせている。

- いつもそう（10点）
- 2〜3回会うと1度はある（7点）
- たまにある（5点）
- 滅多にない（2点）
- 全くない（0点）

＿＿＿＿点

❶～❿の合計点を計算してみましょう。

❶ ＿＿＿＿点 ＋ ❷ ＿＿＿＿点 ＋

❸ ＿＿＿＿点 ＋ ❹ ＿＿＿＿点 ＋

❺ ＿＿＿＿点 ＋ ❻ ＿＿＿＿点 ＋

❼ ＿＿＿＿点 ＋ ❽ ＿＿＿＿点 ＋

❾ ＿＿＿＿点 ＋ ❿ ＿＿＿＿点 ＝

合計 ＿＿＿＿点

いかがでしょうか。

得点が高いほど、彼はあなたに居心地の良さを感じているでしょう。

これは「何点だから合格」と診断するシートではありません。

できていることも、できていないことも、どちらもあったと思います。

彼があなたに感じる居心地の良さが、減らずに増えているかを、定期的にチェックするために使ってみてくださいね。

あなたが現在どの位置でも、次の位置に進むための懸念点を払拭する必要があります。

この懸念点はそれぞれの段階で違うので、詳しくお伝えしますね。

彼から結婚したいと思われたい
―【1～3番目の位置】へ近づける方法

結婚に関する懸念点の払拭

結婚を意識すると、お互いに相手に対する評価が厳しくなります。交際中は気にならなかった点や長所だと思っていた点が「結婚するとなるとちょっと……」と心配な点に変わることもあります。

例

彼は友達と飲むのが大好きで平日は週に3回以上飲みに行っている。あなたと彼は土日に会うことが多く、平日の彼の行動は今まで気にならなかった。でも、結婚してからも、このペースで飲みに行かれるのはちょっと……と思うし、貯金ができない人かも、と不安。

などは、彼との結婚を意識し始めた女性に起こりがちな悩みです。

同様に、彼もあなたに対してそれまでは気にしていなかった部分が気になり始めるかもしれません。

他にも、彼があなたの長所だと思っていたところが短所に見えてくる場合もあるのです。

例

・あなたはとてもオシャレで美意識が高い。彼はそんなあなたが好きだし自慢に思っている。しかし、結婚を考えると「お金がかかりそう」と彼は少し心配になる。
・あなたはとても仕事熱心。彼はあなたの仕事を尊敬しているし、残業が多いのにがんばる姿を素敵だと思っている。お互いの仕事の話をするのも楽しい。けれど、結婚して家庭を持つことを考えると家事や育児が不安。　など

なぜ結婚を意識すると、お互いに対する評価が厳しくなってしまうのでしょうか。

それは、ほとんどの人が「これから自分が幸せでいられる人と結婚したい」と願い、交際中は気に留めなかったことを懸念点として捉えるようになるからです。

そのため、彼の恋愛プロファイリング、特に価値観を分析し、結婚に関する懸念点を１つずつ払拭していくことが重要です。「このまま結婚しても大丈夫」と彼が確信できるよ

うになると、結婚に向けて状況が進展します。

彼があなたとの結婚を決断するには

居心地の良さも提供できているし、結婚に関する懸念点の払拭もできているはずなのに、彼に結婚の話をしてもはぐらかされてしまう、全く進展しないという事態が続く場合はどうしたら良いのでしょうか。

その場合は、**『結婚のプレッシャー作戦』**が最も効果的です。

結婚のプレッシャー作戦とは、あなたが別れを覚悟して彼に「結婚」と「別れ」の二択を迫り、彼が結婚を選ばなければ、彼の前から完全に去る作戦です。

あなたの居心地の良さに甘えて現状維持を選んでいた彼が「あなたがいなくなるなんて思わなかった」と強い不安にかられ、「やっとあなたの大切さに気づいた。いなくならないでほしい」と感じ、結婚に踏み切るというものです。

もちろん、あなたが結婚に焦っておらず、彼とはゆっくり何年もかけて関係を育み、プロポーズを待ちたいと思っているなら、結婚のプレッシャーはかけなくて良いと思います。

◆〝結婚のプレッシャー作戦〟とは

Step1. 結婚の話を一切せず、これから半年間は、仲良く楽しく過ごす。

ケンカや行き違いなどを起こさず、不穏な空気が生まれないよう**居心地の良さを徹底**。結婚に関する懸念点を払拭できている状態にしておく。

Step2.「いつまでに結婚したい、無理なら今すぐ別れる」とはっきりと伝える。

彼との別れを覚悟して、結婚か別れかの二択を伝える。

1年以内の具体的な結婚の期限を切る。ただし、あまりに近い日にちだと親への挨拶などが間に合わないため、妥当な期限を提示する。彼に余裕がないとき（トラブルや繁忙期など）は避ける。

彼がしぶしぶでも結婚を了承してくれたら、ものすごく喜ぶ。

彼の覚悟をさらに固めるために、親への挨拶の日取りや指輪を買いに行く日など、具体的な行動の約束をその場でする。

言葉ではＯＫしても、その後うやむやになる人も多いため、行動で彼の覚悟を見ていく。

Step3. 彼が結婚を決断しないなら「二度と会えない、連絡も取れない」とはっきり伝えて去る。

彼が黙ってしまう、謎の言い訳をする、考えておくなどと曖昧な返事をしたら、あなたから別れを切り出す。

「結婚が決断できないなら、もう会えない。連絡も取れない」と去る。それからは彼から連絡が来ても、既読だけつけて返信は一切しない。

彼がどんなにしつこく「話したい」「会いたい」と言ってきても、１日以上時間を空けてから「申し訳ないけど、結婚の覚悟がないならもう会えないし、連絡もこれ以上返せない」と一度だけ返信し、それ以降は返信しない。電話にも出ない。連絡を取るのは、彼が「結婚する」と連絡してきたときのみ。

注意点

ただし、駆け引きが上手な彼なら別れを受け入れて、あなたに「この方法は通じなかった」と思うように仕向けてきます。

そのため、彼に何を言われてもあなたは本気で別れる態度をとり続けないと効果がありません。

「もう少し仕事が落ち着くまで待ってくれないの?」「好きだから会えなくなるのはつらい」「ご飯に行くのもダメ?」などの彼の言葉に左右されず、完璧に別れるフリを一定期間(ケースによりますが、短くても三ヶ月以上)一貫して続けないといけません。

別れを覚悟して実行しなければならないので、あなたはとてもつらい時間を過ごすことになるかもしれませんが、煮えきらない彼に結婚を決断してもらうためには、これが最も効果的な方法です。

彼と恋人になるには
―【4〜6番目の位置】へ近づける方法

彼と付き合うための作戦は、すでに体の関係があるのかどうかによって変わります。

すでに体の関係がある場合

体の関係はあるのに付き合ってくれない。そんな彼と付き合うには、彼から見たあなたと付き合う**メリットを増やし、デメリットを減らす**ことが重要です。

これまで通り体の関係を持ち続け、それ以外の時間もあなたと一緒に過ごすなかで、彼が大切にしている価値観に寄り添い、彼の嬉しい・楽しいを増やすようにします。たとえば、彼が「癒やされたい、落ち着ける時間が好き」という価値観なら、まったりと落ち着ける時間を増やします。

ただ、これだけでは彼と付き合うことは難しいです。なぜなら今の彼は、付き合うという責任を負わずに、あなたと体の関係を持てる状態だからです。あなたの心も体も手に入れながら、他に素敵な女性が現れたら「彼女はいないよ」と堂々と言える今の状態は、彼にとって最高の関係なのです。

そんな彼は、どういう状態になれば、あなたと付き合いたいと思うでしょうか？

◆彼があなたと付き合うと決断するフリー作戦

その場合は、『**フリー作戦**』が最も効果的です。

フリー作戦は、「このままではあなたを失ってしまう」と実感させることで、彼に「あなたを失いたくない、付き合おう」と決断してもらう作戦です。

彼と体の関係がうまくいっていて、定期的に会うのが半年以上続いている場合は、すぐにフリー作戦を実行しましょう。まだ半年未満の場合は、居心地の良い時間を増やすことに専念してくださいね。

Step1.「付き合いたい。無理なら、これ以上会えないし連絡もとれない」とはっきり彼に伝える。

彼ともう二度と会えなくなることを覚悟し、恋人か関係終了かの二択を伝える。彼がしぶしぶでも付き合うことを了承してきたら、ものすごく喜ぶ。晴れて恋人同士に。

Step2. 彼が「付き合おう」と決断しない限り、別れを告げて彼の前から去る。

彼が黙る、あるいは考えさせてなどと曖昧にしてきたら、すぐに去る。そして、彼が「付き合おう」と言ってくるまで、彼からの連絡には既読だけつけて返信しない。

あなたは「曖昧な関係に疲れてしまった。つらいけど、私は私と付き合いたいと望んでくれる人といたいから、関係を終わりにします」という女性になりきる。

注意点

彼のほうが〝あなたを諦めて去る〟という演技をすることがあります。

駆け引きが上手な彼の場合、あっさりと別れを受け入れ、あらゆる言葉であなたに「この作戦は通じなかった」「このままだと永遠に彼を失う」と思わせてきます。彼は、あなたから望んで元通りの都合のいい関係に戻るよう仕向けてくるのです。たとえば「友達でいるのもダメ？」「好きな気持ちは変わってない」などの気を引きたい言葉や、「これで連絡最後にする、〇〇ちゃんもお元気で」「君にはもっと素敵な恋人が現れるよ」といった、あなたが言われたら「いま彼の元に戻らないと、もう会えなくなっちゃう」と感じる言葉です。

それでも、彼に何を言われたとしてもあなたは本気で、彼の人生から去る態度をとり続けないと効果がありません。彼のどんな言葉にも左右されず、完璧に彼の人生から去る態度を一定期間（ケースによりますが、短くても2ヶ月以上）一貫し続けないといけません。

フリー作戦は彼ともう二度と会えなくなることを覚悟して実行する必要があります。彼が付き合おうと言ってくるまで、あなたはとてもつらい時間を過ごすことになるかもしれませんが、彼に付き合うことを決断してもらうためにはこれが最も効果的な方法です。

彼と体の関係がない場合

この場合、懸念点ではなく、注意点になります。

・あなたと彼がデートし始めてから半年未満で、デート回数を着実に重ねている場合、急かさずに待ちましょう。付き合うかどうか白黒つけたくなる気持ちもわかりますが、彼からの告白を待ちましょう。そのほうが、彼の気持ちが高まった状態で交際のスタートが切れます。

・付き合う前に彼が体の関係を持とうとしてきたり、旅行や自宅デートに誘ってきたりしたら「そういうのは、付き合ってからじゃないと」と優しい柔らかい態度で伝えます。「正式に恋人になったら、体の関係を持てる」と彼に理解してもらい、付き合う覚悟を決めてもらいましょう。

◆体目的の男性の見抜き方

女性と体の関係は持ちたいけれど、付き合うという責任は負いたくない。このような価値観を持つ男性は言動が特徴的なので、早めに見極めましょう。

もちろんなかには「体の関係から始めるけど、そのあと交際に繋げる」という男性もいます。そのような男性は、体の関係を持ったあとに「順番が逆になったけど、付き合ってほしい」「彼女になってくれて嬉しい」など、きちんと交際を始めようとしてくれます。

体の関係から始める恋愛を全否定するつもりはありません。しかし、「体の関係を持ったのに、彼と付き合えなくて悲しい」という思いはなるべくしてほしくないのです。

最初から避けられるリスクを最大限に避けるために、体目的の男性にありがちな言動をまとめました。次のような兆候が見られる彼とは、距離をおくことをおすすめします。

◆「体目的の男性」にありがちな言動

①彼からの告白がない状態で、ボディタッチが多い、距離がとても近い。

デート初回、あるいは2回目くらいから、ボディタッチが多かったり、体をくっつけてきたりする。

②彼からの告白がない状態で、密室で会いたがる。

「手料理をごちそうするよ」「飼っている犬を見せたい」「部屋で一緒に映画を観よう」「終電ないし、家が近いから始発までいれば?」などとあらゆる理由をつけて自宅に誘ってくる。もしくは一人暮らしのあなたの家に来ようとする。「温泉に行こう」などと泊まりの旅行に誘うこともある。他にも「漫画喫茶に行こう」と密室に誘ってくる。（カラオケは、密着やボディタッチがなければセーフです）

③彼からの告白がない状態で、下ネタを言ってくる。

「エッチ好き?」「エッチの相性って大事?」「今まで何人くらいとしたの?」などと直接

的な質問をしてきたり、「〇〇ちゃんって胸大きいよね」と言ってきたりする。

④彼からの告白がない状態で、キスをしようとする。

唇はもちろんのこと、髪や頬や手などにもキスをしようとすることもある。（その後すぐに交際の申し込みがあればセーフです）

このようなアプローチをしてくる男性は、体目的の可能性が高いです。

とはいえ、彼ら全員がすごく性悪で「女性をセフレにして弄んでやろう」という意図があるわけではありません。そのような性悪な男性は一部で、多くの男性は「体の関係が持てたらラッキー」くらいにしか考えていません。「体の関係を持ってから、付き合いたくなったらそのとき考えればいい」というように、考えが浅はかなことも多いのです。

あなたが本気で大切にされて、愛されて幸せいっぱいの交際や結婚を望んでいるならば、こういった特徴的な言動をしてくる彼からは逃げることをおすすめします。もし、こういった彼を好きになってしまったら、先ほどお伝えしたフリー作戦が効果的です。

脈あり？　脈なし？　彼を振り向かせたい
―【7〜9番目の位置】へ近づける方法

彼が思わせぶりなことをしてきたり、私だけ特別扱いしているのに、いざこちらから誘うと気がないように振る舞う。このように、脈ありか脈なしかがわからない場合は、好きでいてほしいが、体の関係は持ちたくない【10番目の位置】にいる可能性が高いです。

このような彼を振り向かせたい場合、彼が何を感じているのかを次の2つに分けて考える必要があります。

パターン①「好みじゃない」から体の関係を持ちたくない。
パターン②　好みの範囲内ではあるが、「面倒ごとは避けたい」から体の関係を持ちたくない。

それぞれがどのような状態なのか、また、その原因についてお伝えしますね。

パターン①「好みじゃない」から体の関係を持ちたくない。

例

・彼は痩せている子が好きなのに、あなたはぽっちゃりしている。あるいは、彼はふくよかな子が好きなのに、あなたは痩せすぎている。
・彼から見たあなたの表情や仕草、話し方や声に性的な色気を感じない。

対処法

容姿を彼の好みに寄せていくことで「体の関係を持ちたい」と感じる位置に近づける可能性が上がります。彼の好みがわからない場合は、まず「世の中的に可愛い・綺麗」と思われそうな容姿に寄せていきます。見た目にそれほどこだわらない彼なら、好みに少し寄せるだけで「体の関係を持ちたい【9番目の位置】」に近づけます。

一方で、彼の性的なストライクゾーンが狭く、容姿に強いこだわりがあるなら、かなりの努力が必要になるかもしれません。

パターン② 好みの範囲内ではあるが、「面倒ごとは避けたい」から体の関係を持ちたくない。

この場合、彼はあなたと体の関係を持つことで、**面倒ごとが起こりそう**だと思っています。彼がそう思っているうちは、位置を近づけることは困難です。

たとえば、このような場合に彼は「面倒ごとが起こりそう」だと思います。

例

・職場が同じ彼。あなたと体の関係を持つと、**仕事に支障**が出そう。
・彼は面倒くさい女性が苦手。あなたと体の関係を持つと**依存されそう**など、後々面倒だと感じている。
・先生と生徒、社会人と未成年など、体の関係を持つと**倫理的・社会的に問題**がある。

対処法

彼があなたに「面倒ごとが起こりそう」と感じると、彼はあなたを近づけたいと思えません。彼に「面倒ごとは起きない」と、言葉や行動で示し続ける必要があります。

たとえば、彼が「会社の人に知られると面倒」と思っていそうなら、その価値観に合わせて、会社の人には秘密にする口が固い女性として振る舞っていきます。彼に「面倒ごとが起きそう」と思われる要素を払拭すると、急に位置が近づくことは少なくありません。

好かれたくない【12番目の位置】と思われがちな女性とは？

残念ながら【12番目の位置】と思われてしまう主な原因は2つです。

・性格が原因で、彼から「人として苦手」と思われている。
・容姿が原因で、彼から「生理的に受けつけない」と思われている。

性格と容姿のいずれかで、「彼女とかかわると自分がダメージを負いそう」「彼女には時間も労力も割きたくない」と彼が感じている状態です。

具体例でお伝えします。

性格が原因

・精神的に不安定で衝動的、あるいは攻撃的。（と周りから思われている）
・被害者意識が強く、周囲に不利益を与える。（と周りから思われている）
（※個人ＳＮＳでの発信にも注意してください。限られた身内での非公開アカウントだったとしても、どこでどのように情報が漏洩するかはわかりません）

容姿が原因

・容姿や体臭、声や話し方など、性格以外の何かが生理的にＮＧ。

たとえすごく美人でも、彼が「彼女とかかわると自分がダメージを負いそう」と感じたら、一気に【12番目の位置】まで急落してしまうこともあります。
もしあなたが今【12番目の位置】にいる場合は、まずは「彼をおびやかさない」印象に自分を変えることが重要です。

ただ、【12番目の位置】に置かれてしまうほどの印象を変えるには、多くの時間がかかるでしょう。

容姿の印象は、数ヶ月で変えられることもあります。もしも、あなたがこれまで自分の容姿にあまり気を遣ってこなかった場合、なおさら効果は出やすいです。

一方で、性格の印象を変えるには「最低でも半年以上かかる」と思って覚悟を決めて取り組む必要があります。

あなたが思い描ける「最上級に性格の良い女性」として振る舞いましょう。

周りから「すごく良い子」といわれている身近な女性の言動を真似するのもおすすめです。元気に明るく振る舞う、いつも笑顔で誰にでも平等に優しく接する、グチや悪口を言わない、など。

原因が性格にあるのか容姿にあるのかを考え、**可能性が高いことから着手**していきましょう。

自分で原因がわからない場合は、家族や親友に「本気で自分を変えたいから、厳しいことでも遠慮なく教えてほしい」と真剣に頼んでみてください。

指摘されたことに傷つくかもしれませんが、残りの人生の長さを考えると、たとえ傷ついても、現在の自分を知って行動するだけの価値は十分にあると思います。

何を試してもうまくいかないときの対処法

恋愛プロファイリングを駆使して彼を分析し、彼の価値観に寄り添い、できる努力はすべてしているのに、彼があなたに望む位置が近づかないこともあります。

原因1 「彼分析」が間違っている

正しく恋愛プロファイリングをするには、彼について**正確な情報がたくさん必要**です。
そして、それらの情報をどのように解釈していくのかが重要です。

よくある失敗は「**彼視点で見ていない**」というものです。「私ならこうするから、彼もこうだろう」と、彼視点ではなく自分のモノサシで考えているケースです。ついあなたの受け止め方や感じ方で解釈してしまいがちですが、彼になりきって考える必要があります。**彼視点で解釈しないと、彼分析が的外れになる**からです。

また、彼の言葉を鵜呑みにしてしまい、本質的な彼の価値観まで掘り下げられていないケースもあります。

例

彼が「俺はアウトドアが好きで、友達とよく出かける」と言う。

あなたは「そっか！　彼はアウトドアが好きなんだ」と解釈し、「デートもアウトドアにしよう」と考える。彼が「どこ行きたい？」と質問してくるたびに、ハイキングやサイクリングを提案してデートもアウトドアばかりに。彼の好みに合わせているはずなのに、彼があまり楽しんでいるように見えず、だんだんとあなたは不安な気持ちに。

この場合、彼はアウトドア好きではないのかもしれません。

彼が嘘をついているわけではなく、たとえば「バーベキューをしたりキャンプに行ったり、大勢でわいわい楽しめることが好き」なだけかもしれません。

このように、解釈の間違いはいくらでも起こります。彼が好きなのはアウトドアではなく、「仲間とわいわいすること」かもしれないのです。

もしそうであれば、あなたと2人でハイキングに行くよりも、あなたを含めてみんなで家飲みや鍋パーティーをするほうが楽しいと感じるのかもしれません。

彼本人ですら本心に気づいていないこともあります。彼の言葉を鵜呑みにしないことの重要さがよくわかるのではないでしょうか。

彼に休日の過ごし方や趣味などを聞くときには「どこがどのように魅力的なのか」「楽しいと思ったきっかけは何か」などと、**質問を掘り下げてみて**くださいね。

誤った彼分析をすると、せっかくのあなたの努力が的外れになってしまうかもしれません。時間をかけてでも、色んな角度から彼を知っていきましょう。

原因2　彼のストライクゾーンが狭い

この場合は、あなたの彼分析が誤っているわけでも、努力が足りないわけでもありません。彼にとって付き合いたい・結婚したい女性の範囲があまりにも狭く、そこに入るのが難しいからです。

女性の中にも「結婚相手はイケメンかつ高身長で高収入、優しくて料理上手で実家が裕福な人がいい！」というように、理想の高い人がいます。男性の中にも同様に、理想が高く相手に求める条件が厳しい人がいるのです。

「彼はそこまでモテるタイプじゃないのに、高望みするのでしょうか？」と疑問に思う方もいますが、本人のモテ度と相手に求める理想は関係ありません。

「アイドル大好き！　絶対にアイドルのような容姿の子と付き合う！」と思っている人が全員イケメンとは限らないのと同じです。

残念ながら、「どんなにがんばっても彼のストライクゾーンに入れず、望む位置を近づけてもらうことができない」ということは起こりえます。

一方で、そこまで努力できる方なら、たとえその彼とのご縁はなくても、すぐにその彼以上に素敵な方との出会いに恵まれるでしょう。

これがご縁の不思議なところですが「結果的には前の人とうまくいかなくて良かった」という方が、実はたくさんいらっしゃいます。

原因3　なんらかの原因で、彼が次の段階に進めない

この原因には3つのパターンがあります。

パターン①　彼女がいる、実は既婚者である

彼に恋人がいるか、あなたに隠しているが実は結婚している場合は、距離を近づけにく

くなります。彼女や奥さんに対しての愛情や責任、罪悪感などがあるからです。

彼に恋人がいる場合は、あなたが恋人よりも彼の理想に近づけば、時間はかかるかもしれませんが、彼が恋人と別れてあなたを選ぶ可能性はあります。彼がすでに恋人に冷めていたり、関係がマンネリ化していたりする場合は、位置が近づきやすくなります。

パターン②　彼が恋愛どころではない状況にある

例

・体調を崩した（精神的なものも含む）
・仕事を失いそう、会社が倒産の危機
・家族に病気や介護などの問題が起きた
・仕事で重大なミスをした
・重要な資格試験がある
・大金を失った（または借金を作った）　など

パターン③　仕事や趣味が最優先

彼にとって、恋愛の優先順位がそもそもあまり高くない場合です。

1年のうちに何度かは「彼女がほしいなぁ」と思うことがあっても、それはあくまで一時的な感情で、恋愛モードじゃない時期のほうが長い男性です。

仕事や趣味に忙しく、使える時間やお金が限られている彼ほど「すごく恋愛したくなったらするけど、そこまで重要ではない」ということが多いのです。


これら3つのうちのどれか、または複数に当てはまっていそうな場合、あなたはタイミングを計りなおす必要があります。

またパターン②や③の場合、もしそれが本当の理由でないとしても、彼があなたを一定以上近づけたくないときにもっともらしい言い訳として使うことがあります。

たとえば仕事で切羽詰まっていなくても、切羽詰まっていると言えば、あなたと付き合わずに済みます。ですので、「彼が本当に恋愛モードでないのか」をしっかりと見極めなければなりません。

見極める方法として、一番わかりやすいのは〝**彼の行動**〟です。P.81にも書きましたが、人は言葉で嘘をつくのは簡単でも、行動で嘘をつき続けることは困難です。長期的となるとなおさらです。彼の一貫した行動を見ていきましょう。

── 彼があなたを大切にしなくなったら？ ──

**私がずっと天使のように優しく彼に合わせていたら、
彼が調子に乗って私を大切に扱わなくなるのでは？**

そんなふうに心配になっちゃうこともあるよね。
確かに、あなたの居心地の良さに甘えて、
つい“あなたを大切にし続ける”ことがおろそかになる彼もいると思う。
「彼があなたに望む位置」ちょうどにいると、起こりやすい現象だよ。

でも、安心してね。

ここでも「12の位置」が応用できるよ。

彼があなたに望む位置から、少し遠くにいる振る舞いをしようね。


彼が「あれ？　あなたが前より自分のことを好きじゃない気がする」と、少し不安になるくらいに。

あくまでも、彼が“少し不安になるくらいが目安”だよ。

急にすごく冷たくしたり、連絡を無視し続けたりなどの激しい拒絶行動はやめてね。

たとえば、
・自分発信の彼への電話やLINEを完全にやめてみる
・彼から来た連絡に、いつもよりゆっくり時間をあけて返す
・デート最優先ではなく、友達との予定や、自分の時間を作り、彼と会わない日を増やす
・デートを短時間で切り上げる　など。

彼の忙しさや時間感覚を理解したうえで、
それでも「彼に大切に扱われていない、悲しい」と感じたときにだけ、
「彼が望む位置」より少し遠くにいるようにしてみようね。

ただし、何度もやると彼は居心地が悪くなり、冷めやすくなっちゃうから注意！
半年に一度しか使えない方法って思ってね。

天使のように優しいあなたに安心してあぐらをかいてしまった彼。

あなたが少し遠ざかることで、彼があなたの大切さに気づき、襟を正すための方法だよ～。

カワウソ先生の
ひなたぼっこ
COLUMN

――『乙女よ、 鉄のパンツをはけ！』――

鉄パン乙女（鉄のパンツをはいている乙女）とは、恋人・夫じゃない限り、
絶対にパンツを脱がない乙女のこと。

真剣に恋人を探している女性も、好みの男性に対しては警戒心も緩みがち。
押しに負けて一夜を共にしてしまい、悔やむ女性は多い。
男性が女性の心まで好きになって「付き合いたい」と望む前に体の関係を持つのは、
愛情が育つ機会を摘んでしまうってこと。だから付き合うまでは、鉄のパンツをはいてね。

メリット１：体目的の男性を遠ざける
「体の関係を断ったら、もう会えなくなるかも」と不安に思う気持ちもわかるよ。
でも、体の関係を断っただけで会えなくなったとしたら、
体目的だったと早めに判明するってこと。そんな男性は捨てちゃおう。
あなたの時間も愛情も貴重で尊いものなのだから、心まで愛して大切にしてくれる男性を選ぼう。
鉄パン乙女でいることは、体目的の男性を遠ざけられる。
メリット２：大切にされる
人は簡単に手に入ったものに対して「大切にする」という覚悟が生まれにくいもの。
恋人になってから体の関係に進むことで「大切にしよう」と思われやすくなるよ。
メリット３：本命・結婚相手としての価値が高まる
多くの人は相手に『浮気しない貞操観念』を求める。
鉄パン乙女を貫くことで『貞操観念がある』と本命・結婚相手としての価値が高まるよ。

そんなメリットだらけの鉄パン乙女だけど、「わかっているけど、流されないか自信がない」という
不安を持つ女性もいるよね。そんなときは、対策を講じよう！
対策１：ボロボロ下着作戦
デートの日は、ブラもパンティもボロボロのやつを着てね。
ゴムが伸びているとか、毛玉がすごいとか、レースびりびりとか。
とにかく「見られるのはムリ！」というレベルの下着。酔って判断力が鈍ったとしても「これを見られるわけにはいかないのよぉ！」って抑止力になるよ。
対策２：酔わない
酔ったフリをし、酒量を控えよう。お酒に弱い女性は「弱いから少しずつしか飲めないの」と最初から宣言しておき、時間をかけて１杯を飲もうね。酔った勢いで～なんてことにならないように。

鉄パン乙女は、体目的の男性を遠ざけ、本命として大切にされやすくなるよ。
幸せな恋愛をしたいなら鉄パン乙女たれ！

第5章

彼の気持ちが
冷める
NG行動

彼の気持ちが冷めるＮＧ行動

あなたが最も恐れていること、それは彼に嫌われることではないでしょうか？　彼に煙たがられたり、嫌な感情を持たれたりするのは、とても悲しいことですよね。

そんな悲しい思いをしなくて済むように、本章では彼に嫌われる要因となる**ＮＧ行動**について、それらがなぜＮＧなのかという理由と、避けるコツをお伝えしていきます。

まず、**ＮＧ行動**の理解を深めるために、**恋愛温度**についてお伝えします。

恋愛温度グラフ

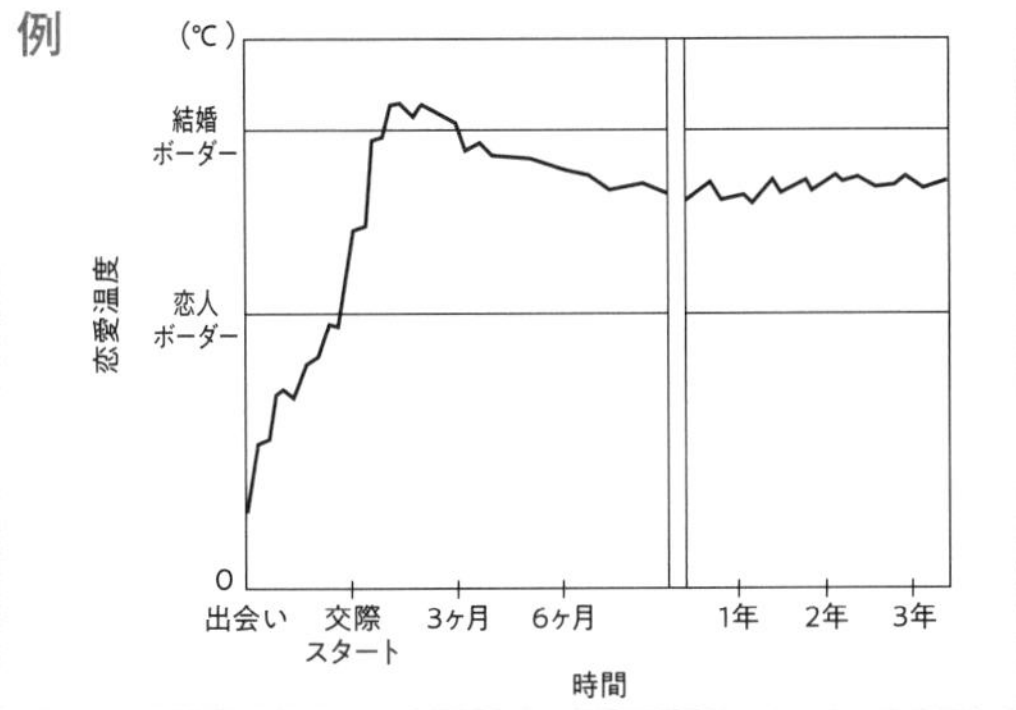

まずは図の見方を説明するね。上の図は1例だよ。

◆ 縦軸…恋愛温度

彼があなたに対してどれだけ恋愛の気持ちが強いかを示す。
上にいくほど彼の恋愛温度が高くなる。

◆ 横軸…時間

右にいくほど時間が経つ。

◆ 恋人ボーダー…この線を越えると彼が「恋人になってもOK」と思うライン

恋愛温度が恋人ボーダーを上回るほど「どうしても交際したい！」になる。
恋愛温度が恋人ボーダーすれすれだと「交際してもいいけどしなくてもいい」になる。

◆ 結婚ボーダー…この線を越えると彼が「結婚してもOK」と思うライン

恋愛温度が結婚ボーダーを上回るほど「どうしても結婚したい！」になる。

恋愛温度が結婚ボーダーすれすれだと「恋人でいたいけど結婚は乗り気になれない」になる。

恋愛温度が波線になっているのは、恋愛温度が上がったり下がったりするからだよ。ちょっとケンカしたら下がるし、仲直りして楽しく過ごしたら上がる。相手のネガティブな面を見たら下がるし、良いところを目にすると上がるよ。

4つのグラフ例

グラフA 熱しやすく冷めやすい彼

恋愛温度が急激に下がっていることからもわかるように、
数ヶ月で温度が急低下するので、その差にびっくりしがち。

例

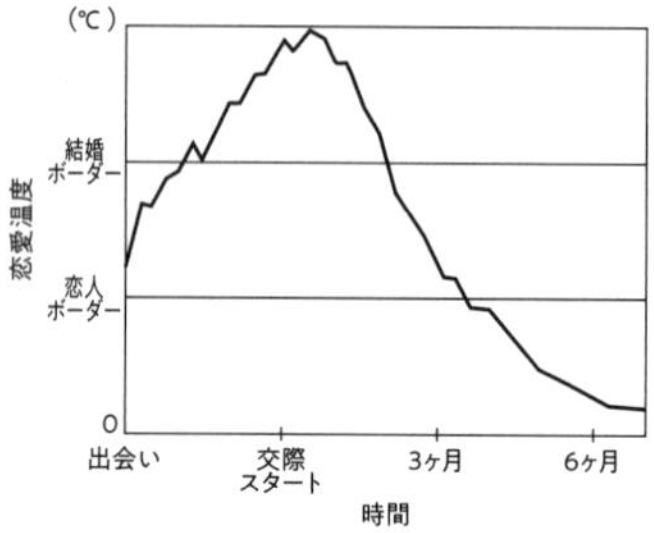

グラフB じっくりホカホカな彼

恋愛温度がゆったりとした曲線になっていることからもわかるように、恋人ボーダーを越えるのに時間がかかるので、やきもきしちゃうけど、恋人になると恋愛温度が下がりにくい傾向。

例

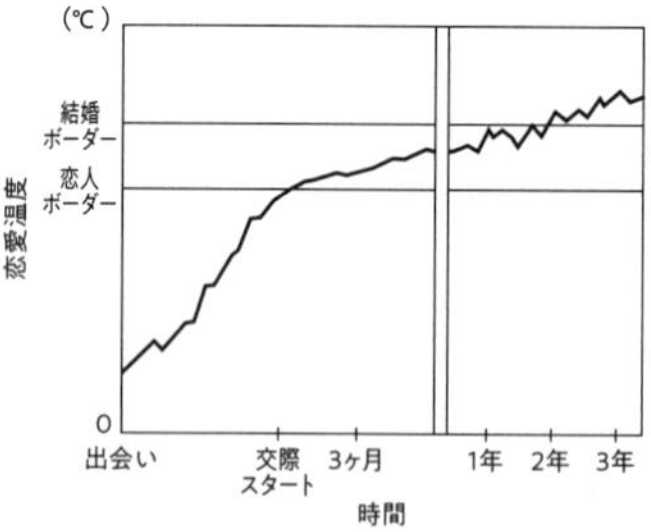

恋人ボーダーと結婚ボーダーの恋愛温度は人によって違うよ。
責任感のない彼だと恋人ボーダーが低い温度に、慎重で責任感が強い彼は恋人ボーダーが高い温度になりがちだよ。

グラフC 盛り上がってから落ち着く彼

最も多いのがこのグラフ。3ヶ月くらいで恋愛温度が落ち着いてくる。
彼本来の恋愛のペースになるのは6ヶ月以降から。

例

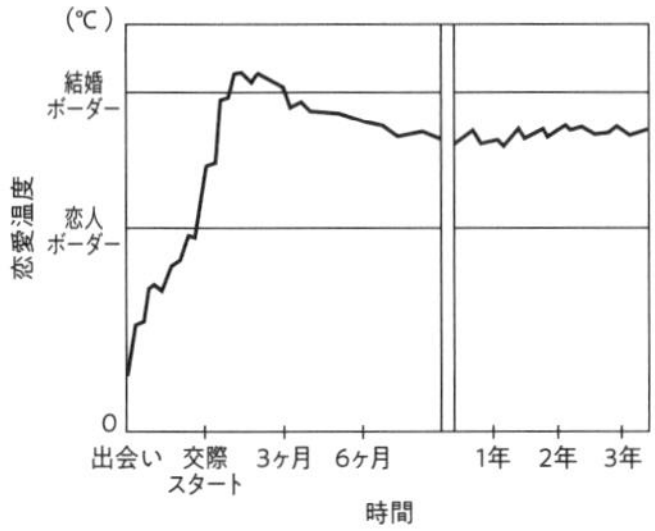

グラフD 恋に恋する彼

恋愛温度が急激に下がっているグラフからわかるように、「思っていたのと違う」ことをきっかけに温度が急低下する。でも、彼の期待から外れない限りは恋愛温度の急低下は起こりにくい。

例

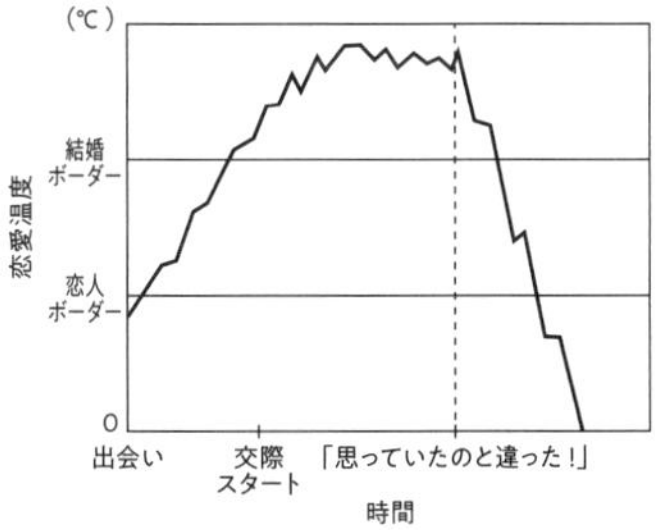

恋人ボーダーと結婚ボーダーの度数は年齢や状況によっても変わる

〈例〉ハル君の恋人ボーダー

20歳の彼➡「とりあえず付き合っちゃおう」と恋愛温度が50°Cでも恋人になる。

30歳の彼➡「年齢的に結婚を意識するなぁ」と恋愛温度が70°Cまで上がらないと恋人関係に踏み切れない。

〈例〉ナツ君の結婚ボーダー

25歳の彼➡「大好きだから結婚したい!」と恋愛温度が90°Cで結婚を決意する。

45歳の彼➡バツイチになり独身を謳歌していたが、親の介護に直面。「できるだけ早く結婚したい」と恋愛温度が60°Cでも結婚に踏み切る。

恋愛温度とは、恋愛感情の高低を表し、**温度が高いほど気持ちが強く**なります。

あなたは、彼のどこが好きですか？

気遣いや穏やかな笑顔、話していて楽しいところや、あなたに優しいところ。いくつも思い浮かんだのではないでしょうか。彼との楽しい思い出が増えていくたび、そして彼の良い面を知るたびに、好きなところが増えていきますよね。

それは彼にとっても同じです。あなたとの楽しく居心地の良い交際が続いて、あなたの素敵な面を知るたび、彼のあなたへの恋愛温度は高くなり、安定していきます。

そして、逆もまた然りです。ケンカが増えるたび、彼はあなたに対してうんざりしたり、怖くなったり疲れたりします。その結果、あなたへの恋愛温度は下がっていきます。

残念ながら、長年高めに維持してきた恋愛温度が一瞬で急降下することもあります。今まで感じてきた彼の愛情が突然失われてしまうのです。次の例を読んでみてください。

例
彼との交際中にあなたが浮気をして、彼にバレてしまった。最初、彼は許そうとがんばっていたが、やはりダメだった。彼は「浮気は許せない」という価値観を持っていたから。

このように、一瞬で2人の関係を破壊する行動は、第3章でお伝えした彼の価値観に触れることで起こります。まさに〝百年の恋も冷める〟状態に陥るため、絶対に避けましょう。

こうした**一瞬で恋愛温度を急降下させるNG行動**だけではなく、「小さなマイナスの積み重ね＝**NG行動**」を避けることも重要です。

彼が不快に感じる価値観に少しずつでも触れることで、彼の恋愛温度は少しずつ下がっていくからです。そして、恋愛温度が低下して恋人ボーダーを下回ると、彼は別れを考え始めます。

では、普段から気をつけるべきNG行動には、どんなものがあるのでしょうか。

ＮＧ行動は〝知っていれば、避けられる〟

安心してほしいのですが、ＮＧ行動は知っていれば、避けられます。落とし穴と一緒です。そこに落とし穴があるとわかっていれば、回避できますよね。

大好きな彼とずっと仲良く楽しく、想い合える２人でいるために、暗記するくらい読んでくださいね。

やってはいけない5つのNG行動

NG行動① ダメ出し・責める

たとえあなたが正しくても、彼に**ダメ出し**をしたり、彼を**責めたり**するのはNGです。**不機嫌になって彼を無視する**ことも、無言で彼を責めることと同じです。

彼はあなたに対して居心地が悪くなり、あなたのネガティブな面に目がいきます。反射的に攻撃的な気持ちになり、あなたを敵とみなし始めます。敵には恋愛感情を抱きにくいため、恋愛温度は下がる一方です。

NG行動② 泣く・怒る・感情的な言動

あなたに**泣かれる**と、彼は罪悪感を覚えます。人は罪悪感を与えてくる相手を疎ましく思います。同時に、彼には無意識に「自分を守りたい、正当化したい」という気持ちが働くので、あなたに攻撃的な気持ちにもなります。あなたが**怒って大きな声を出す**、**物を壊す**など、**興奮して手がつけられない状態になる**なども、非常にまずい行動です。

NG行動③　負のコントロール

彼に変わってほしいと思い、彼を**否定的な言葉で動かそうとする**のが〝負のコントロール〟です。

たとえば、彼がデートに10分遅刻したとします。あなたは彼に時間を守ってほしくて、「遅刻は人の信用を失うから止めたほうがいいよ」とトゲのある言い方をしてしまう。

このように、どんなにあなたが正しくて彼が間違っていても、彼が傷ついたり怒ったり、嫌な気持ちになるような負のコントロールはＮＧです。

NG行動④　グチや不満をぶつける

つい**グチや不満**を彼にぶつけていませんか？　彼に直接関係のない、仕事や友人のグチだから大丈夫というわけではありません。グチや不満を向けられると、彼は自分が責められているように感じます。

真剣に耳を傾ける彼ほど、彼女のグチや不満を聞くのはつらい時間として脳にインプットされます。つらい時間を繰り返し与えてくる相手に対し、恋愛温度は下がります。

ＮＧ行動⑤　脅す

感情的になり**「もう別れる！」などと言って彼を脅す**行動です。あなたに本気で別れるつもりはないとしても、それを切り札にして脅す行動はＮＧです。それまで彼の脳裏には別れなど全く思い浮かんでいなかったとしても、「別れたら楽になるかも」という思考になりがちです。一度別れを意識すると、坂を転がるように関係が悪化することもあるので要注意です。

ＮＧ行動は、交際中はもちろん片想いの場合にも気をつけてくださいね。これらは少しずつですが、着実に２人の関係を悪化させます。

「良かれと思って、悪気なくＮＧ行動をしてしまった」という女性がほとんどです。自分で悲しい結末を招き、彼の気持ちを取り戻したいと後悔に苛《さいな》まれる女性も少なくないので注意しましょう。

彼を不愉快にさせるNGワード

どんなにラブラブな恋人同士でも、これを言われたら「イラっとする」「相手の悪いところを指摘したくなる」「逃げたくなる」などのネガティブな感情に陥るNGワードがあります。

不安に思った方もご安心くださいね。NG行動と同じで「知っていれば、言わない」で済みます。

NGワードは、この2つです。

「なんで○○なの？」
「どうして○○なの？」

「これがNGワード？」と驚いたでしょうか。そのくらい日頃から無意識に使っている方が多いかもしれません。

この2つがなぜNGなのでしょうか？

それは、意図せず彼にダメージを与える言葉だからです。彼はあなたから「文句や不平・不満を言われている」「こんなこともできないダメな男だと責められている」と感じます。

そのように感じると、彼は無意識に自分を正当化し始めます。あなたの悪い面を探し、「あなただって○○だろ」と攻撃スイッチが入ります。あなたは彼を優しく叩いたつもりでも、彼にとっては拳で殴られたようなもので、2人の関係にダメージが蓄積していきます。

あなたに彼を責めるつもりはなく、「純粋に知りたいから聞いているだけ」「今後同じことが起こらないように原因をはっきりさせたいだけ」という2人の関係を良くしたいという意図があるのかもしれません。

しかし、「なんで」「どうして」という言葉ではそれは伝わりません。これらを言いたくなったら、まずはぐっとこらえましょう。

そして、「なんで」「どうして」を使わないコミュニケーションをしてみましょう。

次のように、特に彼に関することや、否定的な内容の場合「なんで」「どうして」は厳禁です。

例

「なんでデート中に無口なの？」

「なんでLINEくれないの？」

「どうしてそういうことを言うの？」　など

慣れるまでは難しいと思いますが、「なんで・どうしてを使っちゃいけないゲーム」だと思ってマスターしましょう。

「なんで」「どうして」を使ってOKなのは限られた場合のみです。

・「なんでなん（笑）」など、お笑い的なツッコミで用いる場合。

・「この珈琲どうしてこんなに美味しいんだろう？」など、彼と無関係な内容の場合。

NGワードは〝一度でも使ったら致命的〟なわけではありません。もちろん彼の人格や自尊心をズタズタに否定するような言葉は論外ですが、軽い言い合い程度なら、きちんと謝れば挽回できることがほとんどです。もし使ってしまったときは、「今後は一切使わないようにしよう」と心に決めてくださいね。

彼が逃げたくなる「話し合いたい」

実は、さらに破壊力が高いNGワードがあります。

それは「**話し合いたい**」です。

ここでお伝えする「話し合う」とは、2人の関係や気持ちの確認などシリアスなものです。彼に話し合いを求める女性は少なくありません。

しかし、ここであえて断言します。


話し合いはNGです。

話し合うほどに、彼の心は離れていくと思ってくださいね。話し合いは彼に持ちかけないに越したことはありません。唯一の例外は、彼から「話し合いたい」と求めてきたときのみ。それ以外はＮＧと心得ましょう。

例

「話し合わないと、この問題をどう解決していいのかわからない」
「話し合いによって、彼が何を考えているのかがどうしても知りたい」
「ちゃんと話し合って私の気持ちを知ったら、彼は変わってくれるはず」　など

このように話し合いを持ちかける理由はたくさん思いつくでしょう。しかし、あなたの彼が無類の話し合い好きでもない限り、**話し合いはＮＧ**です。彼は「うっ！」と逃げたくなってしまいます。

他にも、次のような状況が思い当たるならば要注意です。

例
・数時間にわたり彼に気持ちを伝え、彼の気持ちを問う話し合いをしたことがある。
・彼が疲れているのに話し合いの時間を作り、あなたの要望を通したことがある。
・彼が電話を切りたがっているのに、あなたの気が済むまで話し合いをしたことがある。

なぜ「話し合い」が彼にそんなに嫌がられるのか、お伝えしますね。

「話し合いたい」と言われると、彼は「俺、なんか悪いことした？」と戸惑います。そして「何か不満をぶつけられるに違いない」「感情的に俺にダメ出しをしてくる時間、説教タイムだ」とネガティブな想像をします。これらが瞬時に起こるので彼は「うっ！」となるのです。

彼にとって、話し合い＝相手に不満をぶつけられる時間です。「私がどれだけ傷ついたか」を懇々と説明され、「あなたのここが間違っている」と指摘され、相手の思い通りに変わることを要求される時間なのです。

「純粋に彼の考えや気持ちを知りたいだけ」という女性は多いのですが、仮に話し合ったとしても、あなたが求める答えが彼の口から発せられるとは限りません。ほとんどの人は**自分の心の動きを言語化するのが苦手**なため、正確には答えられません。

あなたがいくら彼に問うても、それっぽいことを口にするだけです。彼は苦しみ、逃げようとします。彼に不満や改善してほしいネガティブな問題がある場合はなおさら、「話し合いたい」という言葉は彼を嫌な気持ちにさせるだけで、逆効果です。

「向き合う」という言葉も同じ理由でNGです。相手のエゴを感じて彼は重苦しい気持ちになり、逃げたくなります。恋愛温度も下がるので、2人にとって良いことが何もないのです。

仮にあなたが苦手とするものが「虫」だとしましょう。彼に話し合いを持ちかけるのは、あなたにとっては彼が虫を押しつけてきて「一緒に苦手を克服しよう！」と迫ってくるのと同じです。当然、あなたは逃げたくなりますよね。

もちろんあなたにそんなつもりはなく、「彼に大切にされたい」「彼ともっとわかり合いたい」という一心でしょう。しかし、重要なのは「話し合いたい」と思っているのはあなただけで、彼は望んでいないということです。


そもそもあなたの「話し合いたい」という気持ちの根底には、彼に**お願いしたい何かがある**のではないでしょうか。もっとＬＩＮＥがほしいとか、元カノとは連絡しないでほしい、など。

「じゃあ、どうやってお願いしたらいいの？　彼に不満や伝えたいことがあっても我慢しなきゃいけないの？」と困ってしまいますよね。


でも安心してください。

彼に「話し合い」を持ちかけることなく、彼の恋愛温度を下げないように上手に伝え、お願いする方法をお伝えしますね。

彼に上手に伝え、お願いする方法

「彼のこういうところが嫌だから、直してほしい」

「前にお願いしたらいいよと言ってくれたのに、なんだかんだ曖昧にされている」

「彼に何度かお願いをしたら、『重い』と言われてしまった」

そんなお悩みを持つ女性は数知れず。

多くの恋愛マニュアル本にもありますが、**言葉選びは本当に重要**です。言葉選びを変えるだけで、彼がお願いを叶えてくれるようになるケースもあります。

しかし、重要なのは言葉選びだけではありません。

「言い方を可愛く工夫したのにダメだった」

「恋愛マニュアルの通りに言ったけど、うまくいきません」

と、悩まれる方も多いのです。

あなたは2人の関係を良くしたい一心なのに、彼に〝重い〟なんて思われたら悲しすぎますよね。

「なぜ彼はお願いを叶えてくれないの？」

「彼にお願いを叶えてもらうために、具体的に何を変えたらいいの？」

「彼に重いと思われないようにするためには？」

これらの悩みを解消するため、まずは注意点からお伝えしていきますね。

彼にお願いするときに、注意すべき6つのこと

①恋愛温度

彼の恋愛温度が高いときほど、彼はお願いを叶えてくれやすいです。逆に恋愛温度が低いときは、些細なお願いも叶えてくれません。彼の恋愛温度が低いときは伝え方を工夫しても効果が得られにくいため、まずは彼の恋愛温度を高める必要があります。

②労力（時間・お金）

彼に何かをお願いするときには、左の2つを考慮しましょう。

・時間の労力

・お金の労力

たとえば「30分電話したい」と「一緒に映画を観に行きたい」では、時間の労力が全然違います。映画は上映時間だけでなく、映画館までの移動や身支度、上映前後の食事も含めると合計5時間くらいかかりますよね。「30分間の電話」の約10倍です。

仕事熱心な彼や、多趣味で友人が多い彼、大事な試験を控えている彼など、忙しい彼にとっては「そのお願いにどのくらいの時間を使うのか」はOKするかどうかに深くかかわります。

お金の労力についても同様です。そのお願いを叶えるにはいくらかかるでしょうか。

経済的に余裕のある彼でも、あまり深く考えずお金を使う性質でもない限り、「それだけのお金を使う価値があるか」を無意識に見積もります。

あなたが「旅行に行きたい」と言えば、彼は経済的なことだけではなく「自分も楽しめるか？」「そのお金を支払ってまで経験したいことか？」「それくらいあなたを喜ばせたいか？」などを考えるでしょう。

彼が価値を感じるお願いであれば叶えてもらいやすく、逆に価値を感じないお願いは叶えてもらいにくいです。

たとえば、スポーツ観戦や海外旅行に興味がない彼に「スペインにサッカー観戦に行こう」というのは叶えてもらいにくいお願いでしょう。

③タイミング

同じ内容のお願いでも、彼に余裕がない場合は断られやすくなります。〝余裕〟というと忙しさばかりを想像しがちですが、**時間的余裕**だけではなく、**精神的余裕**や**体力的余裕**も重要です。

- 寝不足のとき
- 疲れているとき
- 空腹のとき
- 仕事でミスやトラブルがあったとき
- 人間関係に悩んでいるとき

・お金の悩みが深刻なとき
などは、彼に余裕がないタイミングです。
お願いをするときは、自分ではなく受け取り側である彼のタイミングを第一に考えましょう。

④頻度

彼にどのような頻度でお願いをするかも重要です。ここで、注意点が1つあります。それは、あなたが「**以前彼にしたお願い**を忘れていないか」という点です。

例

あなたは以前「LINEは毎日してね」と彼にお願いした。それから彼は毎日それを守ってくれ、あなたに毎日LINEをしてくれていた。それから1ヶ月、2ヶ月……と経つうちに、いつの間にか毎日のLINEが日常となった。

そして、今では彼がそのお願いをずっと叶えてくれていることを、あなたは忘れてしまっていた……。

他にも、「駅まで送ってほしい」「週に1回は電話したい」「お店はなるべく調べて予約してほしい」「飲みに行くときは必ず連絡して」なども同様です。

以前にしたお願いが叶えられて日常になると、あなたはかつて自分がお願いしたことを忘れてしまいます。そして新たなお願いをするときに、「たまにするお願いなのに、なんで叶えてくれないの？」と彼に不満を抱きます。

彼からすると、「ＬＩＮＥしなきゃ」「電話する時間も取らなきゃ」「お店も予約しなきゃ」という日常で、「お願いがどんどん増えていくなぁ……」と感じているかもしれません。

彼が既に叶えてくれているお願いがないか、一度振り返ってみましょう。

一方で、頻度に気をつければ逆にお願いを叶えてもらいやすくなることもあります。

たとえば、時間もお金もかかる大きなお願いをしたいときには、その3ヶ月くらい前からは何もお願いせず、ひたすら彼の居心地を良くします。それから大きなお願いをするなどのひと工夫で頻度を調整すれば、叶えてくれる可能性は高くなります。

⑤彼の性質

お願いを叶えてもらう上では、彼の性質も重要です。

たとえば、「人に喜んでもらうのが好き」という性質の彼と、「自分がお世話されたい、人のケアは面倒臭い」という性質の彼では、お願いを叶えるハードルが異なります。

彼が「人の笑顔を見るのが好き」「人に喜んでもらうことが俺の幸せ」という性質なら、お願いを叶えてもらうのは簡単でしょう。

逆に彼が「お世話されたい、人のケアは面倒臭い」という性質の場合は、①〜④をしっかりと考慮して、さらに彼の興味関心に沿ったお願いの仕方を考えましょう。

⑥端的に伝える

彼に何かお願いしたいときには、「1分間、聞いてほしい」と前置きし、1分間以内に話をまとめて伝えましょう。

重要なのは〝**わかりやすく、要点を端的に**〟伝えるという意識です。自分の気持ちをわかってほしくて、どうしても話が長くなり、要点がぼやけてしまう女性は多いです。端的に話すのが苦手な方は、文章を短くまとめてからLINEなどで送るのもおすすめです。「結局何が言いたいの？」と彼がもどかしく感じてしまうことのないよう、1分間で話し終えるようにまとめます。「折衷案」や「彼に具体的に何をしてほしいのか」まできちんと明確にしておきましょう。

彼に「伝わる」には

彼に何か言いたくなったときは、その場ですぐ言うのではなく、いったん持ち帰りましょう。できれば24時間かけて「本当に言うべきかどうか」をまず考えてほしいのです。

特に、内容が彼へのダメ出しや要求ならば、なおさら細心の注意を払います。「これを言うことで、彼の恋愛温度は下がる。それでも**言う価値があるのか？**」と自問自答してみましょう。

24時間しっかり考えて、それでも「言うべき」という結論が出たならば、次は、どんな言葉選びをすれば、彼の恋愛温度の低下を最小限にできるのかを考えます。

「伝える」ではなく彼に「伝わる」を意識する

いよいよ、実際の言葉選び、伝え方についてです。

まず意識すべきことは〝**伝わる**〟ことです。あなたがただ〝伝える〟ことではなく彼に〝**伝わる**〟ことが重要です。あなたが伝えたつもりでも、彼にきちんとあなたの意図が伝わらなければ、恋愛温度を犠牲にしてまで伝える意味がなくなるからです。

〝彼に伝わっていない〟というのはどういうときに起こるのか、考えてみましょう。

・彼がとても忘れっぽい性質である。
・彼が何か他のことに集中しているときに伝えたため、聞き流されている。
・あなたが無意識のうちに〝察してちゃん〟になっている。
・あなたと彼では「付き合ってたら○○で当たり前」の認識に隔たりがある。　など

相手の気持ちを察する能力は人によって差がありますし、同じ言葉を使っていてもお互いの解釈が違う場合もあります。

起こりがちな具体例と共にお伝えしますね。

例

彼が、会社の同僚の女性と2人で飲みに行ったことが後から判明した。あなたは「やましいことがあるから言わなかったのでは？　前もって言ってくれたら私は怒らな

くて済むのに。私を蔑《ないがし》ろにしてるの?」と思い、彼に不満を抱いた。
そこであなたは、
・女性と2人で飲むときは、今後は前もって教えてほしい。
・前もって教えてくれたら、私は安心できる。
の2つを彼に伝えたいと思った。

もしあなたが「なんで前もって言わないの?」「私がどんな気持ちになるか考えた?」などと感情的になって彼にそのまま不満をぶつけたら、彼にはどのように伝わるでしょうか?

彼には「彼女が俺を責めている」ということが一番強く伝わり、彼は無意識に自己弁護を始めるでしょう。「急に誘われたから連絡できなかっただけ」「仕事絡みだからしょうがない」「俺のことを疑ってるの?」などと、あなたに反論したくなります。

あなたは

・女性と2人で飲むときは、今後は前もって教えてほしい。
・前もって教えてくれたら、私は安心できる。

この2点を彼に伝えたいだけなのに、言い争いになったら本末転倒です。

だからこそ、〝**彼に伝わるように話す**〟ことが大切なのです。〝とにかく彼に伝える〟ことではなく、〝**彼に伝わる**〟ことを意識しましょう。

◆伝え方実践ノート

では、具体的にどのようにして言葉選びをすれば良いのでしょうか。これから、**伝え方実践ノート**の書き方についてお伝えしますね。

①ノートを用意します。（A4サイズの紙が理想ですが、スマホやタブレットでもOK）
②見開きを使って、左ページに「彼に言いたいこと」を書きます。

③右ページに向かって矢印「→」を書きます。
④右ページに、「彼に具体的にどんなセリフで伝えるか」を書いていきます。②で書いた「彼に言いたいこと」に対して、できれば10パターンくらいのセリフを書き出します。
⑤そして、書き出したセリフごとに〝そのセリフを言われたら彼はどう感じるか?〟を想像しながら下の行に書き足していきます。「こう言われたら、彼はどう思う?」「このセリフで彼は、もうしないって約束したい気持ちになる?」と彼になりきって考えます。
⑥書き出したセリフの中から「これなら彼に伝わる!」と自信が持てるものを選びます。

彼が、
・彼女には自分の仕事を理解してほしい。
・彼女に責められるのがすごく苦手。

・彼女に可愛く頼られるのは嬉しい。

という性質や価値観を持っていたとします。

彼が「仕事に理解がない」「責められている」と感じるリスクを最小にし、〝彼のせいにするのではなく、心配性なあなたの可愛いワガママを彼が叶える〟という構造にしたいですよね。

それらを含めると、ノートの右ページに書かれたセリフとしては、次のようなものが最適でしょうか。

「同僚と急な飲み会になることもあるよね。○○くんの誠実さを知っているから、やましいことはないってわかってるんだけど、私は心配性だから、次からは一言だけ連絡してくれたら嬉しい。そしたら私も素直に楽しんできてって言える。ワガママ言ってごめんなさい」

このようなセリフであれば、具体例の彼に伝わりやすいでしょう。

[彼に具体的にどんなセリフで伝えるか]

◆「私が不安になるって思わないの？　安心させようってなんで思ってくれないの?」

➡ 彼「責められてる」って思いそう。

◆「急に飲みが決まったとしても、LINEくらい、1分あれば打てる。私のこと思い出さなかった?」

➡ 彼「怒られてる。コワイ」って思いそう。

さらに「仕事に理解がナイ女」って思われそう。

◆「事前に必ず連絡するって約束して」

➡ 彼「わかった。でも仕事でそんな時間取れるか約束できない。

またできなかったらもっと責められるんじゃないか」って思いそう。

◆「できればでいいから、事前に連絡してほしい。いつもじゃなくても、女性と2人のときだけでいいからお願い」

➡ 彼「うーん、まぁ、それなら……」って思ってくれそうかも。

◆「やましいことないってわかってるよ。でも心配になっちゃうから私のワガママでごめん」

➡ 彼「オレこそごめんな」って思ってくれるかも。

◆「仕事をがんばるアナタは素敵だし応援したい。だから、私が安心して『楽しんで』って言えるように協力してほしい」

➡ 彼「わかった」と思ってくれそうだけど、快くではないイメージ。

例

[彼に言いたいこと]

☑ 女性と２人で飲むときは、
今後は前もって教えてほしい。

☑ 前もって教えてくれたら、私は安心できる。

すべての男性に当てはまる伝え方の正解はありません。

だからこそ、徹底した彼分析によって「このような性質や価値観を持つ彼だから、こう言われたら、こう感じるだろう」という細かいシミュレーションが必須なのです。彼になりきって想像することで、彼に最も伝わりやすいセリフを作ることができます。


わざわざノートに書き出すなんて、面倒で大変な作業ですし、あなたばかりが努力して損をしていると感じるかもしれません。

しかし、それだけの価値はあります。

彼にとって居心地の良い関係を築けるため、**恋愛温度が保てる**からです。


あなたが不用意に放った言葉で、彼の恋愛温度が下がることほど、悲しいことはありません。

あなたの優しい想いも、彼と仲良くしたい気持ちも、ちゃんと彼に〝**伝わって**〟こそです。自分が言いたいことを自分が伝えたいタイミングで、自分が言いたいように言うのではなく、彼の感じ方にフォーカスすることで、彼からますます愛される関係を育んでいくことができます。
最初は大変に感じるかもしれませんが、彼分析が習慣化すると、やがてノートに書き出さなくても脳内でできるようになります。

この伝え方実践ノートは、私が実際に行っていた方法です。大好きな彼にどうしても譲れないお願いをするとき、この方法でセリフごとに彼の反応を細かく予測して、彼が最も受け入れやすいセリフを選びました。
私自身、いろいろな方法を試して繰り返し実践してきたなかで、これが最も効果的であるとわかりました。

彼と恋人や夫婦になっても、なんの工夫も努力もなく、永遠に高い恋愛温度が続くわけではありません。**失ってから後悔するより、前もって対策をマスターしておく**ことで、彼から愛され続けたいですよね。NG行動に気をつけて、彼の恋愛温度を高く保ち続けていきましょう。

―― 一瞬で彼への怒りがなくなる方法 ――

彼にイライラすることってあるよね。

でも、そのまま彼にぶつけちゃうと、恋愛温度が下がることに。

まずはイライラした状態から脱するのが肝心。

「わかってても難しい」と思う女性も多いよね、気持ちはわかるよ。

ただ、イライラすることで、あなたも疲れちゃう。

すぐにイライラから脱することができたら、精神的にラクになれるよね。

今回は『彼へのイライラが一瞬でなくなる方法』をお伝えするね。


『ちょっと地獄見てくるわ』戦法だよ。

やり方は簡単。彼にイライラしたときに、最悪な状況を数分間リアルに想像するだけ。

すごくリアルに生々しく想像するのがポイント。ただし、数分間だけね。

試しにリアルに想像してみて。たとえば、
・彼が事故に遭って死んでしまう
・彼が余命いくばくもない病だと判明
・「他に愛する女性ができたから別れたい」と彼に言われる　など。
心臓がバクバクして、手足が冷たくなってくるし、息切れ、眩暈や涙も出てくるくらい、

「悲しすぎる！やめてー！」と心が痛みに悲鳴をあげると思う。

数分間したら、想像をやめて現実世界に帰ってきてね。

長時間想像すると、本当に具合が悪くなるし、精神的にもつらくなってしまうから。

数分間だけとはいえ、『絶対に起こってほしくない地獄』を目の前で起きているように
リアルに想像することで、それまで感じていたイライラが吹っ飛んでしまうと思う。
「彼が無事で良かった、彼がいてくれるだけで嬉しい。今回のイライラなんて大きな問題じゃない」
と感じられ、あなたがイライラから脱することができたなら、めでたしめでたし。

私たちにはありがたいことに、想像力がある。
「失ってから気づく大切さ」を脳内で自分に味わわせることができる。
イライラが吹っ飛び、彼が命あること、あなたを好きなことに感謝が溢れてくるように
自分で仕向けられるよ。
この『ちょっと地獄見てくるわ』戦法を使いこなすと、あなたは彼にイライラをぶつけることなく、
愛と感謝で心が満たされ、笑顔で彼に接しやすくなるよ。
ただし劇薬なので、くれぐれも地獄を見るのは数分だけにしてね。

カワウソ先生のひなたぼっこCOLUMN

―― 愛情バロメーターにしない！――

彼との恋人関係は最初のラブラブ期を過ぎると、
あなたへの愛情表現が落ち着くことも多いよね。

彼からの連絡が減ったり、デートのお誘いが少なくなったり。

こういった落ち着きによる変化は、彼自身に自覚がないことがほとんど。

ただ、あなたから見ると「彼が変わってしまった」と淋しく感じるし、「冷めたのでは」と不安になることもあるよね。

そんなときにやってしまいがちなのが、彼の行動の何もかもを『愛情バロメーター』として捉えること。

たとえば、

「LINEが減ったってことは冷めたんでしょ」

「好きって前は頻繁に言っていたのに、最近は時々しか言わない。冷めたんだ！」

「以前は私に色々質問してきたのに、質問しなくなったのは、私に興味がないってことでしょ。もう好きじゃないのね」など。

彼の一挙手一投足を、なんでもかんでも自分への愛情バロメーターとして捉えるのはやめようね。彼もあなたも心身共に疲れちゃうよ～。

―― 不安からの質問はしない！――

あなたが彼に「早く質問したくてたまらない」ときは、不安なときが多いんじゃないかな？

でもね、不安からの質問はNG！と覚えておいてほしい。なぜなら、
あなたが不安からする質問のほとんどは、彼のあなたへの恋愛温度を下げてしまうから。

「私のこと好き?」「昨日、誰といたの?」「なんで電話が減ったの?」など。

これらはすべて、不安からの質問。つまり、

『あなたが安心したくて、彼から安心できる言葉を引き出すための質問』ということ。

残念ながら、彼があなたの期待した通りの言葉や態度をくれるようなことは、ほぼない。

不安から質問したときは、さらに不安になるようなリアクションが返ってきたり、
あなたの欲しい回答じゃなかったりがほとんど。

あなたが不安から質問すればするほど、さらに不安が増えていくよ。
もちろん、不安からの質問を受ける彼も居心地が悪くなっていく。
彼のあなたへの恋愛温度が下がらないように、そしてあなたの不安を
増やさないように、『不安からの質問はしない』を徹底しようね。

第6章

大好きな
彼と
復縁する方法

復縁の可能性を最大にするために

本章では復縁の可能性を最大にする方法を知ってもらうため、別れから復縁に至る典型例を1つ挙げます。まずは『実際に復縁が成功した美咲さんの例（※実話をもとにしたフィクション）』を読んでみてくださいね。

美咲は婚約指輪に目を落とした。大きなダイヤモンドだ。同棲中の彼が大奮発して買ってくれたものだった。美咲は婚約指輪はいらないと言ったのだが、彼が「美咲にどうしてもプレゼントしたい」と贈ってくれたのだ。

その日のことを思い出すと美咲はとても嬉しくなったし、彼に生涯の伴侶として選ばれた誇らしさで胸がいっぱいだった。同棲して2年半。数ヶ月後に結納と両家顔合わせが控えていた。

付き合ったきっかけは、大学の同級生だった彼からの熱烈なアプローチだった。交際してすぐに美咲が一人暮らししている家で同棲するようになった。美咲は「恋人なんだから」と彼に自分の理想を押しつけ、彼が自分の願い通りの恋人になってくれるのは愛の証だと思っていた。

「愛があるなら、私の願いを叶えてくれて当たり前」だった。恋人なんだから美咲が夢に向けて取り組む時間を邪魔しないのは当たり前だし、タバコをやめてくれて当たり前だし、美咲が不安なときは傍にいてくれるのが当たり前だと思っていた。それらを「愛の証」と思っていたから、彼が美咲の思い通りにならないと話し合いを強要し、不満をぶつけた。彼は温和で誠実で、美咲の要求にも辛抱強く応え続けたが、それでも2人はたびたびケンカになった。ケンカをしても必ずその日のうちに仲直りした。仲直り後はそれまでと変わらず、彼は美咲を「大好きだからずっと一緒にいよう」と抱きしめ、愛情深く接してくれた。

こんなふうに時々はケンカをしながらも「これから先もずっと愛し愛されていくんだろうな」と美咲は思っていた。

3日前のクリスマスも、彼はまっすぐ美咲の目を見て「愛してる。来年もその次もずっと一緒に祝おうね」と言ってくれていた。

なのに――――。

「美咲、別れてほしい。他に好きな人ができた」

美咲は頭が真っ白になった。足元が崩れて自分がどこにいるのかもわからなくなった。「数日前まであんなにラブラブだったのになぜ……？」と大きなショックを受けた。

美咲は、突然振られてしまった。

一体、美咲と彼に何が起こったのでしょうか。

美咲の例ほど突然ではないかもしれませんが、心の準備なく彼に振られるケースは少なくありません。振られて初めて、美咲は深刻に自らの行動を振り返りました。

彼に「理想の彼氏像」を押しつけてきたこと、話し合いを強要してきたこと。彼の愛情にあぐらをかいて不満をぶつけたこと。彼が美咲と一緒に過ごしたがっても、美咲は自分の夢を優先して彼を蔑《ないがし》ろにしていたこと。美咲が一緒にいたいときだけ彼に駆けつけさせ、彼が一緒にいたいときには「1人で勉強したいから」と自分勝手だったこと。

今までは普通に仲直りできていたから、彼がそこまで嫌な思いをしているなんて微塵も思わなかったのです。


美咲は頭をフル回転させ、必死で彼に謝った。「これからはあなたを尊重するから」「私の悪いところは全部直すから考え直して」とすがった。

しかし、彼の決意は固く、「美咲からダメ出しされるのはつらかった。最近はあまり俺と過ごしたがらなかったし、俺はもう必要とされてないって思った。でも美咲は悪くない、俺が全部悪い。美咲のことが好きじゃなくなったわけではなく、他に好きな人ができたんだ。こんな気持ちのまま美咲といるわけにはいかない」と、美咲が何を言ってもダメだった。

美咲は別れを受け入れられず、2週間以上にわたり、彼にすがり続けた。2年半も一緒に暮らした思い出と愛情が、知り合ったばかりの他の女性に負けるなんて信じたくなかったから。美咲は彼に何度も話し合いを頼み、会うたびに彼を責め、泣き叫び、自殺をほのめかすまでに至った。

ついには彼に「怖い、もう顔も見たくない」と拒絶されるまでになってしまった。もはや彼の目には怯えしかなかった。

絶望した美咲。クリスマスまでは、この幸せが一生続くと思っていたのに。もう二度と会ってすらもらえないかもしれない。

美咲は「彼と復縁できるなら、なんだってするのに……」と絶望と後悔に苛まれた。

もしもあなたが美咲だったら、ここから復縁のためにどう動いていきますか？

結論から言えば、**この別れから2年半後、なんと彼から美咲に復縁を申し込むことになります。しかも、婚姻届を持って。**

最終的には「怖い」と彼に怯えられていた美咲が、なぜ彼から復縁を切望されるにいたったのでしょうか？

この話を例に「復縁の可能性を最大にする方法」をお伝えしていきます。

復縁するための2つの必須要素

別れの理由は人それぞれで、内容も多岐にわたります。しかし、復縁するための必須要素は2つしかありません。

この2つがそろえば復縁の可能性はとても高くなるし、反対にこの2つがそろわなければ復縁の可能性は低くなり、たとえ復縁できたとしても、そう遠くないうちにまた別れに至るでしょう。

必須要素とは、次の2つです。

別れの要因がなくなったと彼に感じてもらう

彼にあなたがいなくて淋しい恋しいと思ってもらう

それぞれお伝えしますね。

別れの要因がなくなったと彼に感じてもらう

あなたと彼が**別れるに至った要因をすべてなくすことが必須**です。
復縁は恋愛において、マイナスからのスタートです。ゼロから始まる恋愛に比べると、挽回するのに大変な労力を要します。しかし、悲観することはありません。これまでの章で学んだことが大いに役立ちます。
ここで、ちょっと想像してみてください。

例
あなたの会社に新人の女性が入社した。経歴書を見てあなたは「彼女は有能なようだからぜひ一緒に働きたい」と期待していた。しかし、彼女は教えたことを守らない、同じミスを繰り返す、遅刻するなどの問題を起こし続けた。

いくら寛容なあなたでも、彼女に対して「有能で一緒に働きたい人」という認識ではなくなるはずです。

あなたは、どうしたら彼女のことを再び「有能で一緒に働きたい人」と感じるようになるでしょうか?

「彼女が長期間、問題を1つも起こさず、あなたが期待した以上の働きをし続ける」ということが必須になりますよね。

この例と同様に、恋愛においても、相手についてしまった悪いイメージを払拭し、「一緒にいると幸せな女性」というイメージにするために最善を尽くす必要があります。

では、具体的に何をすれば良いでしょうか。


別れの要因を洗い出す。

要因をなくし、〈冷却期間〉を経てから彼に再会する。


これらが必要になります。

ⓐ自分要因

ⓑその他要因

右の2つに分けて、考えられるものをすべて書き出します。そして、彼が大切にしている価値観だと思う順番に並び替えます。

ⓐ自分要因について

自分要因は、すべて改善する必要があります。いくつもある場合は、彼が大切にしていそうな価値観から優先して改善していきます。

美咲の例ですと、彼が大切にしていそうな価値観に抵触する自分要因から順に挙げた場合、

- ・恋人像の押しつけによるダメ出し
- ・彼のニーズ（一緒に過ごしたい）を無視
- ・話し合いの強要
- ・別れのときにすがり、脅した

となりました。

これらすべてが完全になくなった美咲として、彼と再会することが必須でした。

しかし、別れた直後に急に別人のように変わって彼に近づくと、正直怖いですし、とても演技っぽいですよね。

彼にあなたの自分要因がなくなったと感じてもらうためには、彼から見てあなたがどこで何をしているかわからない状態＝冷却期間を作らなければなりません。

美咲の場合は、半年以上が望ましいです。

なぜなら、前述した美咲の自分要因が、わずか数週間後に再会したときに完全になくなっているのは不自然だからです。たとえ美咲が必死に「私は変わった」とアピールしたとしても、彼は「俺と復縁したくて必死になっているだけ」と彼女の復縁したい一心の演技だと感じてしまい、さらに美咲への**警戒心が増す**でしょう。

そのため、自分要因が一切ない美咲に変化しても不自然ではないくらいの長さの冷却期間が必要となります。

「あなたとの別れから学び、たくさんの大切なことに気づいて私は変わることができた」というストーリーにするためには、最低でも半年以上の冷却期間が必要です。

冷却期間について、別れの要因によっては一切不要な場合もあります。稀な例ですが、彼女のほうから彼を振って、彼がすがる、あるいは彼女に執着している場合などが該当します。

「変わり続ける私を常に見てもらったほうが効果的なのでは？　彼と繋がり続けてはダメ？」と疑問を持つかもしれません。しかし、考えてみてください。

たとえば、毎日顔を合わせる同僚がいるとします。同僚の体重が毎日100グラムずつ増えていったとして、あなたはそれに気づけますか？

『3ヶ月ぶりに会った友人が9キロ太った状態』での再会と、どちらのほうがインパクトがあるかは、考えるまでもないでしょう。

復縁の多くの場合において、冷却期間は必要なのです。

ⓑその他要因について

こちらもⓐと同様に書き出して、彼が大切にしていそうな価値観から優先して改善します。

例

・彼が転勤になって遠距離になった。
・彼が鬱病になった。
・自分の両親に結婚を大反対された。など

『その他要因』は、あなたではどうしても解決できないものもあります。

その要因が彼が大切にしている価値観に抵触するなら、残念ながら復縁の可能性はとても低くなります。反対に、彼にとって「ちょっと嫌だけど許せる範囲」の要因ならば、復縁の可能性は十分にあります。

たとえば、別れの要因の1つに「転勤で遠距離になるのは時間やお金の面でも厳しい」があったものの、致命的な要因ではなかったため、「遠距離でもがんばりたい」と彼の気持ちが変わることは起こります。

美咲の場合は、〝彼が新しく好きになった女性〟という大きな要因があります。

この要因は美咲にはコントロールできないため、ⓐの**自分要因を徹底的に改善しながら待つ**しかありません。

よって、美咲ができることは、

・彼が新しく好きになった彼女とうまくいかなくなる機会を待つ。
・その期間に『自分要因』を徹底的に排除して、チャンスを逃さないようにする。いつチャンスが訪れても良い状態にしておく。
・彼から見て「理想の結婚相手としては、新しい彼女よりも美咲のほうがふさわしい点が多い」と思われるようにする。

この3つです。

彼にあなたがいなくて淋しい恋しいと思ってもらう

なぜ「あなたがいなくて淋しい恋しい」と思ってもらうことが必須なのでしょうか？

それは「彼があなたに望む位置」よりもあなたが遠くにいることで、彼が「淋しい恋しい」と感じると位置を近づけたくなるからです。

別れを告げられたとき、「友人のままでなんとか繋がっていたい」と願って連絡を取り続ける女性は多いです。しかし、これは**復縁にとっては逆効果**でしかありません。

あなたから彼に連絡を取り続けるのは「彼があなたに望む位置」より近くにいることと同じです。

彼は淋しくも恋しくもならないどころか、あなたの欠点に目がいきやすくなります。最初は別れの罪悪感からあなたに連絡を返していても、徐々に面倒になってしまう可能性が高いです。

また、別れてから冷却期間をあけずに彼に連絡すると、「復縁したい」というあなたの意図が彼に伝わりやすいため、彼が警戒します。彼があなたを警戒すると、ますます彼があなたを重く感じて逃げたくなります。

別れ際に、彼は「いつでも力になる」「また時々ご飯に行こう」「友だちでいよう」などと言ってくるかもしれません。

しかし、それらの言葉を鵜呑みにして彼からの連絡にマメに返信し、彼と繋がり続けてしまうと「交際しなくてもいつでも傍にいてくれる、俺に好意的な元カノ」と安心して、あなたに対して「淋しい恋しい」と思わなくなるのです。

復縁するためには、彼があなたに望む位置を近づけたくなるよう、少し遠くにいる振る舞いを心がけてください。そうすることで、彼はあなたがいなくて淋しい恋しいと思い、復縁しやすくなります。

注意すべきは、少し遠くにいる振る舞いと彼にそっけなくして冷たくすることを混同しないことです。彼の望む位置よりも近づいてはいけませんが、彼に「俺は嫌われている」と思われてもいけません。

明るくて優しく、感じが良い女性、しかしもう彼を恋愛対象として意識していない、興味を失っている、というイメージです。

あくまでも、彼が結婚（交際）したくなるような女性になりきって、そこから逸脱しないことを心がけてください。彼が望む位置より少し遠くにいつつ、〝理想的な女性に生まれ変わったあなた〟として接します。

そして、彼からもしも連絡が来たときは、完全に別れの自分要因がなくなったあなたとして対応しましょう。

「顔も見たくない」と振られた美咲が復縁できた理由

別れ際にあれだけひどい行動をした美咲は、なぜ彼から復縁を申し込まれたのでしょうか？　これから一緒にそのいきさつを読んでいきましょう。

実は、美咲は彼との復縁を諦めていた。自分を省みるほど、復縁するのは絶望的に難しいと思ったからだ。しかし、彼のことは人として心から尊敬していたので、「友だちでいたい。自分のダメなところをなくそう」と思っていた。

まず別れて数ヶ月間は、徹底的に彼が美咲に対して嫌と感じた『自分要因』をなくすことに注力した。半年ほどしてから彼に仕事の相談を持ちかけ、２時間ほど会って仕事の話をして解散した。彼が新しい彼女とうまくいっていることがわかったので、心から応援する姿勢を示した。美咲も新しい彼氏ができたことを彼に報告した。
はじめは美咲に対して復縁の意図を警戒していた彼も、新しい彼氏の話を聞いてホッとした様子だった。

その後、数ヶ月に一度、ご飯を食べながらお互いの仕事の話をして2時間ほどで解散するようになった。3回目くらいから、彼の仕事の話が8割くらいを占めるようになった。彼は仕事に誇りを持っており、仕事の話をするのが好きだった。美咲は彼の話を盛り上げたり、彼の冗談に笑い転げたり、ときには彼を励ました。

再会から1年半ほど経ったころ、彼が深夜に急に連絡をしてきた。知人が事故で亡くなったという訃報に、彼はひどく落ち込んでいるようだった。美咲は「今すぐタクシーでそっちに行こうか?」と言った。彼は少し遠慮していたが、すぐに自ら美咲を車で迎えに来て、深夜に3時間ほどお茶をした。彼がポツポツと話し、美咲は頷き共感した。ほとんどの時間はお互い無言でただお茶を飲んで過ごした。彼は美咲の言葉を求めているわけではなく、誰かに傍にいてほしい気分なのだと知っていたからだ。

その後も彼とは数ヶ月ごとに会うことが続いたが、彼からの誘いが少しずつ増えていった。

そして、別れから2年半ほど経ったとき、彼は彼女と別れたと打ち明け、美咲に彼氏がいないことを確認した上で、復縁の申し込みとプロポーズをした。

いかがでしたか?

このとき、美咲は復縁に繋がる必須要素をすべて満たしていたのです。

・半年ほど彼と会わないことで、別れ際の最悪な美咲のイメージを薄くできていた。
・自分要因をすべてなくして再会した。
・何度か会ううちに、美咲の嫌だった部分（自分要因）がなくなっていると彼が気づいた。
・彼が「美咲は復縁したがっているのでは？」と警戒しなくなった。
・その他要因だった〝新しい彼女〟と別れた。
・美咲がもう彼のことを友だちとしか見ていないと彼が感じ、美咲に対して淋しく恋しくなった。

復縁の2つの必須要素以外にも、**大なり小なり復縁の可能性にかかわる項目**があります。
美咲の場合、この項目においても『復縁できる可能性』が十分にあったのです。

復縁の可能性にかかわる項目にはどのようなものがあるのか、『復縁の可能性診断』のチェックリストでお伝えします。

あなたが復縁できる可能性

復縁を願う女性から最もよく質問されることは、「復縁できますか？　可能性はどのぐらいですか？」です。

復縁できるかどうかは、交際中の2人の関係だけではなく、彼の性質やあなたの性質にも左右されます。私が復縁の相談に乗る際は、徹底的に恋愛プロファイリングします。彼分析はもちろん、あなた分析、そして2人の歴史を分析して、復縁のストーリーを練り、最善策を具体的にお伝えしています。

そこで、わかりやすい『**復縁の可能性診断**』を用意しました。
このチェックリストの良いところは、今まで深く意識していなかった2人の別れの要因もわかりやすくなることです。

目安として復縁の可能性はどのくらいあるかを知ることで、今後の方針も立てやすくなるでしょう。

例
あなたは彼との遠距離を乗り越えられると思っていた。しかし、彼は言葉にしなかったただけで、2人が会うための時間と労力がかかりすぎて「頻繁に会えないなら交際している意味がない」と思ったのかもしれない。など

それまであなたが気に留めていなかった要因を発見するかもしれません。

この診断で、新たな別れの要因がわかった場合は、それも完全になくすことで、**復縁の可能性を最大**にできます。

復縁の可能性診断～彼との復縁の可能性は何%?～

次の10項目について、復縁したい彼とあなたの関係であてはまるアルファベットを1個ずつ選んで、合計点を計算してみよう！　その合計点で、復縁可能性が診断できるよ。

1. 始まりかた

a. 彼から「どうしても交際したい」と真剣に追いかけられ、懇願されて交際がスタート。交際前に仲の良い友人期間があった、または付き合う前に彼からデートの誘いが5回以上あった。(10点)

b. 出会ってから3ヶ月以内に彼の誘いでデートを重ねた。3回以上デートをしてから、きちんと彼からの告白で交際がスタートした。(9点)

c. 出会ってから3ヶ月以内に彼の誘いでデートをし、1～2回のデートで彼からの告白で交際がスタートした。(7点)

d. 彼とデートを重ねていくなかで、あなたからデートの誘いをすることが彼よりも多かった。彼からの告白で交際がスタートした。(5点)

e. あなたからの誘いでデートを重ね、あなたが彼に交際するかどうか気持ちを問い、彼が交際を選んだ。(3点)

f. あなたからの誘いでデートを重ね、あなたから告白して交際がスタートした。(2点)

g. あなたから告白したが保留にされ、何度も頼んで、彼が交際を受け入れた。もしくは体の関係を一定期間持ち、「恋人になれないならもう会わない」という作戦を実行して交際がスタートした。(1点)

1. 始まりかた　＿＿＿点

診断における“告白”とは「付き合ってください」「恋人になってほしい」のような、はっきりとした言葉での交際申し込みのことを意味するよ

2. 別れかた

a. あなたが振った。彼は別れたくないと引き留め、すがってきた。(10点)

b. あなたが振った。彼はごねずに別れを受け入れた。(9点)

c. 彼から別れを告げられ、あっさり別れた。彼は泣いたり、あなたを抱きしめたり、名残惜しそうだった。(8点)

d. 彼から別れを告げられ、少し引き留めたり、すがったりしたものの、数日のうちに別れを受け入れた。彼は「たまには食事に行ったり連絡したりしよう」と名残惜しそうだった。(7点)

e. 彼から別れを告げられ、少し引き留めたり、すがったりしたものの、数日のうちに別れを受け入れた。彼はほっとした様子だった。(5点)

f. 彼から別れを告げられ、何度もしつこくすがり、別れるまでの期間が2週間以上。連絡手段をブロックまたは着信拒否はされていない。(3点)

g. 彼から別れを告げられ、何度もしつこくすがり、別れるまでの期間が2週間以上。勝手に会いに行くなど、彼に感情的な行動をした。彼から連絡手段をブロックまたは着信拒否をされて音信不通の状態。(2点)

h. 彼から別れを告げられ、何度もしつこくすがった。きちんと別れるまでの期間が2週間以上。勝手に会いに行くなど、彼に感情的な行動をした。警察に通報され、ストーカー扱いや接近禁止命令など、彼があなたに絶対にかかわりたくないと思わせるような周囲を巻き込む別れかたをした。彼からブロックや着信拒否をされて音信不通の状態。(1点)

2. 別れかた　　　点

あっさりと別れるほど復縁は有利になるし、すがったり揉めたりするほど不利になるよ

3. 別れの理由

a. 直前までラブラブだったが、ケンカ別れした。他に好きな人ができたわけではなさそう。（10点）

b. 直前までラブラブだったが、彼に好きな人ができた。（10点）

c. 別れの理由が何も当てはまらない。（9点）

d. 彼が大切にしている価値観ではないが、「されて嫌なこと」の価値観にあたることを何度もしてしまって彼を疲れさせた。（例、ダメ出しなど）（7点）

e. 彼が大切にしている価値観にあたる「嫌なこと」を何度か彼にしてしまって、彼を冷めさせた。（5点）

f. あなたといて彼は退屈を感じて、一緒にいることが考えられなくなった。（4点）

g. 彼にとって「あなたと交際や結婚はできない」と思う解決が難しい要因が理由。（例、体の相性・遠距離・職種・宗教など）（3点）

h. 彼にとって「あなたと交際や結婚はできない」と強く思う解決できない要因が理由。（例、人種・国籍・親など）（2点）

i. 彼にとって絶対に許せないことをあなたがした。（1点）

3. 別れの理由 ＿＿＿＿ 点

別れの理由がいくつも当てはまる場合は、一番大きな点数を選んでね

4. 仲良しだった期間

a. 5年以上。(10点)

b. 3年以上。(9点)

c. 2年以上。(8点)

d. 1年半以上。(7点)

e. 1年以上。(5点)

f. 6ヶ月以上。(3点)

g. 4ヶ月以上。(2点)

h. 3ヶ月以下。(1点)

4. 仲良しだった期間　　　点

交際期間ではなく、仲良し期間(=彼があなたに会いたがり、月に2回以上会えていて、体の関係も定期的にあった期間)が目安だよ。彼が"あなたと仲良し"と認識していた期間ってことだよ

5. ケンカの頻度と内容

a. ケンカも、彼が不快に感じることもほぼなかった。（10点）

b. 3ヶ月に1度ほど、ケンカや彼が不快に感じることが起きた。または、1回以上彼にとてもひどい言動（泣き喚く、侮蔑する、怒鳴る、彼の大切な価値観を否定するなど）をした。（8点）

c. 2ヶ月に1度ほど、ケンカや彼が不快に感じることが起きた。または、2回以上彼にとてもひどい言動をした。（6点）

d. 1ヶ月に1度ほど、ケンカや彼が不快に感じることが起きた。または、3回以上彼にとてもひどい言動をした。

e. 2週間に1度ほど、またはデート2回に1度ほどの頻度で、ケンカや彼が不快に感じることが起きた。または、4回以上彼にとてもひどい言動をした。（2点）

f. ほぼ毎回のようにケンカや彼が不快に感じることが起きた。または、5回以上彼にとてもひどい言動をした。（1点）

5. ケンカの頻度と内容　　　　点

ここ半年間で考えてみてね。ケンカだけではなく、あなたが無視をしたり不満をぶつけたり、彼が怒ったりうんざりしたりなどの“彼が不快になった回数”も含めてね

6. 彼の恋愛体質度

a. 常に恋愛をしていたい。または生活に恋愛は必須。彼女あるいはデート相手がいない期間がほとんどない。（10点）

b. 恋愛の優先度は高い。しかし常に女性が途切れないわけではなく、仕事や趣味に打ち込める。（8点）

c. 仕事や趣味の優先度はやや高め。彼女がいない期間、またはデート相手がいない期間は短い。（5点）

d. 仕事や趣味の優先度が高い。遊び相手は男友達ばかり。彼女がいない期間、またはデート相手がいない期間が長い。（3点）

e. 仕事や趣味の優先度が高い。1人でいるのが好き。趣味も1人で完結するものが多い。友人に誘われたら会うが、会わなくても平気。彼女がいない期間、またはデート相手がいない期間が長い。（2点）

f. 仕事や趣味の優先度が高い。1人でいるのが好き。趣味も1人で完結するものが多い。友人に誘われたら会うが、会わなくても平気。彼女がいない期間、またはデート相手がいない期間が長い。恋愛に対して「面倒」「疲れる」などのネガティブなイメージを持っている。（1点）

6. 彼の恋愛体質度　　　　点

彼の恋愛体質度が高いほど復縁しやすくなり、低いほど復縁が難しくなるよ

7. 彼の結婚真剣度と責任感

a. 勢いやノリ、そのときの感情で物事を決めがち。先々のことまで考えるのが苦手。趣味やハマるものが次々変わるなど、飽き性。女性との交際は短いものが多いが、復縁経験もある。交際初期は結婚に前向きだった。（10点）

b. 勢いやノリ、そのときの感情で物事を決めがち。先々のことまで考えるのが苦手。趣味やハマるものが次々変わるなど、飽き性。女性との交際は短いものが多いが、復縁経験もある。結婚願望はないと公言している。（9点）

c. 気分屋ではなさそうだが、感情で物事を判断することが多い。「結婚はしばらく先」とイメージしていそう。（7点）

d. どちらかというと考えてから動くほう。「結婚はしばらく先」とイメージしていそう。（5点）

e. 慎重に熟考して物事を決めるほう。結婚願望はあるが「すぐにしたい」というわけではない。「交際は結婚を見据えて」が当然と思っている。（2点）

f. 何事にも慎重なほう。結婚を考えられないなら交際に踏み切りたくない。（1点）

7. 彼の結婚真剣度と責任感　＿＿点

仕事における責任感と恋愛における責任感は、全くの別物だよ

8. 彼のモテ度

a. モテない。あなたが唯一の交際経験。（10点）

b. ややモテない。交際人数は2人以下。（8点）

c. ややモテない。しかし彼自身は自覚していないのか、モテると勘違いしていそうな発言やSNSへの投稿がある。（5点）

d. 狙った女性を好きにさせることにたびたび成功している。（3点）

e. モテる。ときどき告白されるし、狙った女性を好きにさせることができる。（1点）

8. 彼のモテ度 ＿＿＿＿点

容姿・仕事・性格・年齢・収入・コミュ力・女性と出会える環境など、総合的に判断してね

9. 彼にとってのあなたの希少度

a. 彼は「あなたのような（容姿・収入や財産・年齢・仕事など）女性に、今後の人生で出会えないだろう」と3人以上に言われたことがある。また、あなたは他の女性では満たせない、彼のニッチかつ重要なニーズを満たしている。（10点）

b. 彼にとって、あなたはとても好み。彼は「あなたのような（容姿・収入や財産・年齢・仕事など）女性と交際するのは難しいだろう」と2人以上に言われたことがある。また、あなたは他の女性では満たせない、彼のニッチかつ重要なニーズを満たしている。（8点）

c. 彼は今後も、あなたのような（容姿・収入や財産・年齢・仕事など）女性を見つけ交際することはできそう。また、あなたは他の女性では満たせない、彼のニッチかつ重要なニーズを満たしている。（5点）

d. 彼にとってあなたは「とても好み」というわけではない。しかし同じくらい好みの女性と交際できる確率は低そう。（3点）

e. 彼にとってあなたは「とても好み」というわけではない。同じくらい好みの女性と彼はたやすく交際できるだろう。（2点）

f. 彼があなた以上に好みと感じる女性と交際できる確率は高そう。（1点）

9. 彼にとってのあなたの希少度　＿＿＿点

あなたの希少度を交際時よりも高めてから再会することで、復縁の可能性をあげることができるよ

10. 彼の性欲と体の相性

a. 彼の性欲は普通（月に3回以上、または会うたびに体の関係を持つ）程度。彼は最後までいく。彼が求めるタイミングで会え、あなたはほぼ拒否したことがない。（10点）

b. あなたが求めると彼は応じるが、彼からは求めてこない。もしくはデートの3回に1回以下の体の関係という頻度。または体の相性を重要視していなさそう。（8点）

c. 彼は性欲が普通程度にある。彼は最後までいく。しかし彼が求めるときに何らかの理由（遠距離・仕事・体調など）で会えないことが2回に1回ほどある。（6点）

d. 彼の性欲は強い（会えばほぼ2回以上求めてくる）。彼は最後までいく。しかし彼が求めるときに何らかの理由（遠距離・仕事・体調など）で会えないことが2回に1回ほどある。（4点）

e. 彼の性欲は強い。レスがちになっていた、または何らかの理由（遠距離・仕事・体調など）でなかなか会えない。（2点）

f. 彼の性欲は強い。あなたが彼を拒否し続けた、または「痛い」「妊娠が怖い」などのダメ出しをして、そこから回数が大きく減った。あるいはレスになった。または体の関係を一度も持っていない。（1点）

10. 彼の性欲と体の相性　　　　点

生理のときに、彼からの求めをお断りするのはノーカウントで大丈夫だよ。一番当てはまるものを選んでね

1～10の合計点を計算し、
左ページの診断結果を見てみましょう。

1. ＿＿点 ＋ 2. ＿＿点 ＋

3. ＿＿点 ＋ 4. ＿＿点 ＋

5. ＿＿点 ＋ 6. ＿＿点 ＋

7. ＿＿点 ＋ 8. ＿＿点 ＋

9. ＿＿点 ＋ 10. ＿＿点 ＝

合計 ＿＿点

診断結果

◆ 95～100点の人は…復縁の可能性は**90%**です。
復縁できる可能性は超特大です！

◆ 81～94点の人は…復縁の可能性は**75-89%**です。
復縁できる可能性は特大です！

◆ 71～80点の人は…復縁の可能性は**60-75%**です。
復縁できる可能性は大！　期待できます。

◆ 61～70点の人は…復縁の可能性は**50-59%**です。
復縁できる可能性は十分あります。

◆ 51～60点の人は…復縁の可能性は**40-49%**です。
復縁の可能性は半々です。長期的な取り組みで復縁の可能性は今より高くできます。

◆ 41～50点の人は…復縁の可能性は**30-39%**です。
復縁の可能性はやや低めです。

自分のポイントが低いところを改善することで、可能性が高まります。

◆ 31～40点の人は…復縁の可能性は**20-29%**です。
復縁の可能性は低いです。もしも彼から連絡が来た場合は、復縁の可能性は高まります。

それまで自分要因を減らして待ちましょう。

◆ 21～30点の人は…復縁の可能性は**10-19%**です。
復縁の可能性はとても低いです。

復縁の可能性は流動的なので自分要因をなくし、半年後にもう1度チェックしてみましょう。

◆ 10～20点の人は…復縁の可能性は**0-9%**です。
残念ながら、復縁の可能性はほぼない状態です。他の人に目を向けることをおすすめします。

ただ、彼の状況が変わった場合、復縁の可能性が高まることはあります。

――「別れの理由」は嘘!?　起こりがちな罠と対処法――

少し前に彼から「別れたほうがいいかも」と言われました。
理由は「仕事が忙しい」「私の○○が苦手だから」とのこと。
でも、彼の忙しさを労い配慮し、苦手なところを直しても、
彼の態度は冷めたままです。

実は、彼の言う別れの理由は本当の理由じゃないかもしれない。

なぜなら、彼は自分に何が起きているかわからないから。

なぜ彼がそうなってしまうのか？　理由と対処法をお伝えするね。

彼が冷める理由として、よく起こるのが「彼があなたに望む位置」より、あなたが近くにいること。
これには「彼があなたに会いたがるよりも短いペースで会い続ける」ことも含まれるよ。
彼があなたに望む位置より近いと「重い」「離れたい」などと感じてしまう。そうすると彼は、
無意識にもっともらしい理由を探し出す。
その無意識の中で“彼女の気持ちに応えられない悪者になりたくない”と思い、
自分を正当化してしまう。その結果、それまで気にならなかった彼女の欠点に
目がいくようになったり、自分の時間の重要性が増したりしていく。
「もっと資格試験の勉強時間を取りたいのに」「彼女の○○が本当は苦手」というように。
彼は心理のプロでも、恋愛のプロでもないので、「彼女が悪いわけではなく、会いたいと思う
前に会っているからこんな心理になっているだけ」なんて１ミリも気づかない。自分のことだから
といって、気持ちの動きを正確に把握し、正しい原因がわかるわけではないってこと。
厄介なことに彼は「望む位置より彼女が近くにいる」ことによる不快さを、
「彼女への恋愛温度の低下の原因は『彼女自身にある』に違いない」と勘違いしている。

彼が感じているのは、「なんだか最近会いたいと思えない」「前より楽しくない」

「なんか最近、１人の時間がほしい」という原因不明の恋愛温度の低下だけなんだ。

そして彼は、「冷めたってことか」「もう好きじゃなくなったのかも」と安易な結論に結びつけちゃう。

最悪の場合、別れまで考えるよ。

では、どうすれば良いのか？　彼が言っている冷めた理由、別れの理由は本当ではないかもと
考えよう。言葉を鵜呑みにしないのが大事だよ。
彼があなたに望む位置より離れることで、彼の恋愛温度が高まることは珍しくないからね。
彼から少し離れることで、彼との関係がうまくいきやすくなるよ。

カワウソ先生の
ひなたぼっこ
COLUMN

―『ひなた式LINE５つのルール』―

彼が冷めてきたと思うときや、鬱陶しいと思われていそうなとき。
彼があなたに望む位置よりもあなたが近くにいる可能性が高いよ。
関係を改善するための『ひなた式LINE５つのルール』をお伝えするね。

ルール1：『自分から連絡しない。彼から連絡が来たときのみ返す』
彼があなたに連絡したいと望んだときだけ連絡を取り合うことになるため、
あなたに感じていた鬱陶しさ・重さなどが払拭されるよ。
もしも彼からずっと連絡が来なければ、10日を目安に優しい様子伺いの短いLINEだけ発信するのはOK。

ルール2：『はてなマークは使わない』
「?」がついた連絡は「返信しなきゃ」って、彼にとってプレッシャーになっちゃう。
彼を返信の義務感から解放するためだよ〜。

ルール3：『自分の話は、彼に訊かれたときのみ』
あなたのことを知りたいと思ったら、彼から質問してくる。
彼に訊かれたときのみ自分の話をしてOK。

ルール4：『自分から会う誘いをしない』
彼が「会いたいから会う」となるように、彼の望みで会うようにしよう。

ルール5：『彼の心があたたまるような内容を返信する』
彼があなたからのLINEを見て、次のような感情が起きるようにしよう。
嬉しい・楽しい・面白い・「俺のことをわかってくれている」と思う・癒される
人は心がホカホカするものに魅かれるし、返信したくなるからね。

この５つが、彼の恋愛温度が上がり、関係が回復する、
『ひなた式LINE５つのルール』だよ。

※これは交際中だけではなく、片想いにも効果大です。
※電話も基本的に同じです。
※あなたが彼を放っておきすぎて関係が悪化した場合はこの限りではありません。

第7章

彼の
唯一無二の
女性で
あり続けるために

一度手に入れた「彼があなたに望む位置」は永遠ではない

まず、位置が悪いほうに変化してしまった里奈の話を読んでみてくださいね。


彼と里奈は交際して1年半。

付き合い始めは毎週のように、彼が会いたがってくれたし、会うたびに里奈を「可愛い、大好き、結婚したい」と褒めていた。

交際3ヶ月くらいまで2人はラブラブでケンカも一切なかったが、日が経つに連れて里奈が彼に不満や不安をぶつけ、ダメ出しをするようになった。里奈が不機嫌さをあらわにすると、彼もイライラを態度に出し、2人の間にケンカが増えていった。

最初は「早めに結婚したい【2番目の位置】」と彼から言われていたのに、半年経つ頃には「結婚は急がなくてもいい【3番目の位置】」に変わっていった。

ケンカと仲直りを繰り返し、ケンカの頻度が減らないまま、1年が過ぎる頃には「結婚は嫌じゃないけど、結婚したいのかわからなくなった【4番目の位置】」になっていった。彼の里奈への恋愛温度は少しずつ下がっていった。

【12の位置】の変化が悪い方向で起こってしまう。

このような恋人たちは少なくありません。

彼があなたに**望む位置は、いつでも変わる**可能性があります。

それは、彼があなたに交際を申し込んだ直後でも、プロポーズした翌月でも、結婚してからでも十分に起こりうるのです。

このことは、ダイエットに似ているかもしれません。

あなたは運動や食事制限をがんばって、見事に目標体重を達成し、理想的なスタイルになったとします。

しかし、そこで運動を一切やめ、食べたいものを好きなだけ食べ始めたら……、あっという間にダイエット前の体型に戻ってしまうでしょう。

ダイエットは目標を達成したらそこで終わりではなく、体型キープのための努力が必要です。

その努力は、ダイエット開始のときほど難しいものではないでしょう。それでも、日々の小さな努力は継続して必要なのです。


彼に対しても同じです。


彼があなたに**望む位置よりも少し遠くにいる**ことを意識できていますか？

彼の時間感覚を大切にして、**彼が会いたいと思ってから会う**ことを守れていますか？

彼が大切にしている価値観を大事にできていますか？


彼に「心からあなたを大事にしたい。他のどんな女性よりもあなたが大切」と思ってもらえるように、振る舞えているでしょうか？

それをいつも、意識してくださいね。

その行動と意識が、彼の唯一無二の存在【1番目の位置】にあなたを近づけていくのです。

幸せな恋愛の必須要素2つ

幸せな恋愛の必須要素を言い換えると、恋愛で苦しまないための必須要素とも言えます。2つの要素のうち、どちらかでも欠けると幸せな恋愛から遠のき、長期的に見て2人の恋愛関係は破綻する可能性が高くなります。

幸せな恋愛の必須要素1『誰を選ぶか』

とても大切な要素なのですが、なぜかスコンと思考から抜け落ちている女性が多いのです。

この必須要素が抜け落ちたまま、「私の何がダメなの?」「どうしたら仲良くできるの?」「この不安がなくなるには?」などと思い悩んでいます。

そんな女性たちの話を聞くたびに、「そんなに自分を責めないで」と私まで心が痛くなってしまうこともしばしば。

幸せな恋愛のための必須要素の１つめは……

誰を選ぶか

そう、
誰を選ぶか!!
なのです。

恋愛で悩んでいる女性のなかには、

「私がもっと綺麗なら」

「何か自分に足りていないから」

など、自分を責める人もとても多いのです。


でも、**違います**。

少し想像してみてくださいね？

あなたが『天使のように優しく、女優のように美しく、グラビアアイドルのようにスタイル抜群で、一緒にいてものすごく楽しい、何一つ欠点のない女性』だったとします。

一方で彼が、

例
・平気で嘘をつく
・ギャンブル依存症
・浮気性
・浪費で借金だらけ

このような人だとしたらどうでしょう？

あなた自身に何一つ欠点がなかったとしても、彼自身の性質によって〝不幸な恋愛〟や〝不安を感じ続ける恋愛〟になるのではないでしょうか。

あなたが時間と労力を費やすことは、あなたの**『命の時間』を使う**ということです。

自分がどれだけ彼に「理想の女性そのもの」のように優しく接したとしても、彼に資質がないと報われません。**報われるには報われるだけの資質が必要**なのです。資質がない彼との幸せな恋愛を望むのは、「水中で息が吸えない」と悩むようなものです。

〝資質がある〟とは〝完璧な男性〟のことではありません。人間ですから、不完全な部分や短所があって当たり前。ここでお伝えしたい〝資質がある〟とは、あくまでもあなたにとっての、**絶対に許せない性質を持っていない男性**のことです。

- 嘘が絶対に許せないあなたは、嘘をつかない人を選ぶ。
- ギャンブルが絶対に許せないあなたは、ギャンブルしない人を選ぶ。
- 浮気が絶対に許せないあなたは、浮気しない人を選ぶ。
- 浪費による借金が絶対に許せないあなたは、経済的に堅実な人を選ぶ。

たとえ彼の容姿がすごく好みでも、お金持ちで社会的ステイタスが高かったとしても、**許せない性質を持つ人は決して選ばない**こと。

なぜかというと、絶対に許せない性質を彼が持っていた場合、改善してほしくて不安や不満を彼にぶつけてしまう方がほとんどだからです。

彼はあなたからのダメ出しや負のコントロールを嫌がるので、恋愛温度は確実に下がります。

仮にあなたが別れを覚悟し、彼に〝絶対許せない性質〟をなくしてもらうよう懇願して、一時的に改善したとしても、習慣や固執・依存しているものはなかなか手放せず、元の性質に戻ることが多いのです。

そうすると、あなたは「がんばるって約束してくれたのに！」と彼を責める気持ちに。それを受けた彼はますます恋愛温度が下がり、**負のループに突入**します。

逆に、あなたが彼に何も言わずに我慢し続けたとしても、あなたはどんどんつらく苦しくなってしまいます。

そのため、**誰を選ぶか**が必須要素の1つめになるのです。

そして、彼に資質がない場合は、決して自分を責めないでくださいね。

あなたが今、想いを寄せている彼とうまくいってほしい。

ただそれ以上に、**あなたに幸せな恋愛を手に入れてもらいたい**のです。

幸せな恋愛が叶わない性質を持つ彼を好きになってしまい、苦しむ女性はたくさんいます。優しくて素敵な方ばかりです。

今すぐは難しくても、少しずつでも、あなたの貴重な『**命の時間**』をどう使うか〝**誰を選ぶか**〟を考えて、幸せな恋愛を叶えてほしいと願っています。

◆選ぶべき男性の見極め方

相談者さんの例

彼は「選ぶべき男性」ではないのでしょうか？　彼は私にとって「絶対に許せない要素」である『浮気性』は持っていません。でも、ケンカも多いし、正直モヤモヤすることばかりです。今後このまま付き合い続けていいのか不安です。彼は私が幸せな恋愛をするうえで、選んで大丈夫な相手なのか、判断がつきません。

あなたの〝**幸せな恋愛**〟にとって、適切な男性なのかを見極めるのが難しいという相談です。好きな気持ちがあるからこそ、冷静な判断が難しいですよね。

幸せな恋愛の必須要素の1つに『**誰を選ぶか**』が重要というお話をしました。

ではこの『**誰を選ぶか**』ですが、あなたが好きな彼が該当するのかどうか、どうしたらわかるのでしょうか？

そこで、とても簡単な見極め方をお伝えしますね。

自分自身に問いかけてみてください。

あなたが1人でいるときに、彼を心に思い浮かべて。

あるいは彼と一緒にいるときに。

あなたは彼といて〝**好きな自分**〟〝**あたたかい気持ち**〟でいられることが多いでしょうか？

〝好きな自分〟とは、あなた自身が「こう在りたい」と願う姿や、自分で「今の自分、好き」と感じるような状態のこと。

- 幸せでいっぱいなあたたかい気持ちになる。
- 優しい気持ちになる。
- 感謝が溢れてくる。
- 嬉しくて笑顔になってしまう。

そのような気持ちを味わうことのほうが多いなら、彼は「あなたの幸せな恋愛」が叶いやすいお相手と言えます。

反対に、

・不安で落ち着かない。
・疑心暗鬼になってしまう。
・イラついてしまう。
・少しのことで悲しくなってしまう。
・こんな自分、嫌だなと感じる。

そのようなネガティブな気持ちを味わうことが多いなら、彼は残念ながら「あなたの幸せな恋愛」が叶いにくいお相手かもしれません。

どちらも同じくらい当てはまる！　という場合は、ネガティブな気持ちになりやすい要因が「解決しそうなものか、ずっと続きそうなものか」で、今後どちらの気持ちが増えていくかによって「あなたの幸せな恋愛」が叶うかどうかの予想がつきやすいと思います。ネガティブな気持ちが、何かの問題によって引き起こされている場合は、その問題が解決することによって好転しやすいです。

たとえば、彼が転職活動をしていて、忙しさや気分の落ち込みから、あなたに会おうとしなかったり、デート中も考えごとをしていたり、一緒にいて楽しくなさそうだったりするとします。

あなたは彼を心に思い浮かべても、ネガティブな気持ちになることが増えるかもしれません。でも、彼の転職が成功し、彼が再びあなたをデートに誘うようになり、デート中も2人の時間に集中してくれ、楽しそうな様子に戻ったとしたら？　あなたのネガティブな気持ちは減るのではないでしょうか。

ただし、過去のどの恋人にも優しい気持ちになれなかった、ネガティブな気持ちがとても多かった場合には、あなたに原因がある可能性があります。あなたに〝**物事を悪く解釈する**〟〝**彼に期待をしすぎる**〟というクセがあるのかもしれません。その場合は、あなたのクセを直すことで、彼が「選ぶべき男性」かどうか、わかりやすくなります。

幸せな恋愛の必須要素2　あなたの感情のコントロール力

彼に対して**あなたの感情をコントロールできるか**が、2つめの必須要素です。
これは居心地の良さに直結します。

感情のコントロールができずに、彼にNG行動をしてしまう女性は少なくありません。
「LINEが前より減った」「私が前に言ったことを覚えていなかった」「彼の趣味の集まりに女性がいるのが不安」など、彼にダメ出しや不安をぶつけるNG行動をし続け、自ら「彼の自分への恋愛温度」を下げてしまうのです。

彼がどれだけ、優しくて穏やかで寛大だとしても、あなたに感情のコントロール力がないと、彼はだんだんと居心地が悪くなります。

居心地が良くないと、

「会いたいと思えない」
「大切にしたいと思えない」
と彼の**恋愛温度が徐々に低下**していきます。

そうするとあなたは、彼の気持ちや愛情が変わったことを感じ取り、さらに不安になり、幸せいっぱいの恋愛とはほど遠い状態になります。

長期的に幸せな恋愛をするために、**感情のコントロールも必須**なことをお忘れなく。

幸せな恋愛に必要な感情のコントロールにはコツがあります。そのうちの１つをお伝えしますね。（コラムP.33とP.178にも記載）

◆その怒りはニセモノ

例

今日は大好きな彼とのデート。そんな日に彼が約束の時間よりも1時間も遅刻し、一緒にいられる時間が減った。遅れて来た彼に対してイラついたあなたは「なんでちゃんと間に合うように起きて支度しなかったの？」と強い口調で文句を言ってしまった……。

このような経験に心当たりはありませんか？

その怒りは、大抵〝**ニセモノ**〟です。

怒りが〝**ニセモノ**〟とは、どういうことでしょうか？

恋愛においての怒りの感情は、実は怒りではないケースがほとんどです。怒りの仮面を被って怒りのフリをしているだけです。

そう言われると、

「怒りじゃないなら何？　私はすごくムカついているんだけど」

という疑問が出てくると思います。


そこで、ちょっと思い出してみてほしいのです。あなたが彼に対してムカッときたり、怒ったりしたのはどんなときでしたか？


彼の遅刻の例をもとに、あなたの感情の流れをお伝えしていきますね。

あなたの心の中で本当に起きていた気持ちの流れは、以下の通りです。

例

彼が1時間遅刻したことで、一緒にいられる時間が短くなった。
←
彼に軽んじられているようで悲しい。
私と少しでも長く一緒にいたくないの?
彼にあまり愛されていないようで淋しい。
←
愛されたい、大切にされたいという期待やエゴが叶えられない。
←
彼を思い通りにしたい。
←
悲しさや淋しさが〝怒り〟に変換される。

人は誰でも傷つきたくない生き物です。

悲しさや淋しさは、そのまま受け入れるよりも〝怒り〟に変換するほうが自分の心を守れるから、怒りに変換してしまうのです。

あなたが何もかも我慢する必要はありません。「彼には何も言ってはいけない」なんて思わなくて大丈夫です。

ただ、怒りとしてそのまま彼にぶつけてしまったら、ケンカになるだけです。ケンカにならなくても、彼の恋愛温度は下がります。

「この気持ちは怒りじゃなくて、私が淋しいだけだな」と自覚できるクセがついたら、悲しさや淋しさは怒りに変換せず、そのまま受け止めて彼に上手に伝えましょう。（伝え方についてはP.１６７参照）

不満を言わなくて済むなら、それが一番。

悲しさや淋しさは**怒りに変換しない**！　と覚えておいてくださいね。

恋愛プロファイリングを駆使した『2人の幸せな恋愛』の実現

彼を恋愛プロファイリングし、彼分析することとは、彼専用の攻略本を手に入れることと同じです。

何をしたら彼に「唯一無二の女性！　手放したくない！」と思われるのか、答えがぜんぶ書いてある彼専用の攻略本があれば、あなたの行動に迷いがなくなりますよね。

あなたは自分のことなら、どうされたら嬉しいか、悲しいときにどう接してほしいか、わかると思います。

行動に迷いがなくなるとは、「自分のことのように彼のことがわかる」ということ。

恋愛プロファイリングを駆使して、全身全霊で彼分析し、価値観に共感して寄り添い、

彼の理想の女性になりきる。

最初は〝なりきる〟と気を張っていたことも、続けるうちに**習慣化**します。自転車の運転と同じで、無意識に彼にどう接すれば「彼が幸せを感じるか、彼が私をもっと大切に思うか」が、自分のことのようにわかってきます。

あなたが無意識に〝彼の理想の女性〟のように接することができると、必死にがんばらなくても、彼が居心地の良さを感じ、「こんなに自分をわかってくれる人はいない。あなたといると幸せ」と思い、あなたをもっと好きになってくれます。するとあなたもますます幸せを感じ、彼をもっと「幸せにしたい、大切にしたい」と思えるようになります。

彼を自分ごとのように、世界一幸せにできて、
彼はあなたのことを『唯一無二の存在』だと思う。

これを無意識にできる状態になるのが、恋愛プロファイリングを駆使した、彼分析による**『2人の幸せな恋愛』**です。

彼を愛する、ということ

あなたにとって、「彼を愛する」とはどんなことでしょうか？

私は「彼を愛する」とは、**彼の心を守る**ことではないかと考えています。

彼の心を、守る。
彼が世界一幸せでいられるように、心を守る。

事故、病気、地震、洪水……。
ときにはそういった災難が降りかかることもあります。
残念ながら24時間365日、彼の傍にいたとしても、悪いことは防げません。彼の肉体を守り続けることは難しいです。

しかし、彼の心を守ることはどうでしょう？

日々良いことだけでなく嫌なことも起こるなかで、彼が「**世界一の味方で理解者で、絶対に裏切らない信頼できる**」と思えるような存在は彼の救いになると思います。

恋愛プロファイリングによって彼分析し、彼専用の攻略本を手にしたあなたは「世界一の味方で理解者」になれます。

では、彼に「自分を絶対に裏切らない信頼できる存在」と実感してもらうために、あなたにどんなことができると思いますか？

それは、

〝しないこと〟を決める。

彼の心を守るために、

「彼を傷つけることはしない」

と決めてほしいのです。

具体的には
・自分がされて嫌なことはしない。
・彼に知られたら気まずいことはしない。

〝しないこと〟を決めている人はあまりいません。

たとえば、
・久しぶりに元彼からあなたにＬＩＮＥが届き、たわいない内容だったから、深く考えずに返信をしてしまった。
・彼にイライラすることが起きた。つい、共通の友人に彼のグチを言ってしまった。
これらは、日常的に起きる出来事です。
なかには元彼から食事に誘われ、「何も起きないし、会ってもいいか」と応じてしまう人もいるでしょう。

でも、少し想像してみてください。
あなたの知らないところで、
彼が元カノと連絡を取っていたら？　２人で食事をしていたら？
彼が共通の友人にあなたの不満やグチを話していたらどうでしょう？

悲しくて、重苦しい気持ちになるのではないでしょうか。

〝しないこと〟を決めるのは簡単ではありません。
なぜなら、普段は意識しないことがほとんどだから。

自分を律するのはとても難しいです。
深く考えずに反射的に行動してしまう人も多いでしょう。

それでも、**「彼を傷つけることはしない」**と決め、行動の選択を意識してほしいのです。

彼を大切にする選択をし続ける、あなた。

「絶対に裏切らない」

「いつも味方でいてくれる」

そんなあなたは彼の心を守ることができる存在になれるのではないでしょうか。

彼が死にたくなるくらい苦しいとき。

彼が世の中に絶望したとき。

彼が彼自身を嫌いになってしまったとき。

彼の心を苦しみから完璧に守れなくても、彼にとってあなたが、**『世界一の味方で理解者で、絶対に裏切らない信頼できる存在』**になれていたら。

彼にとっての温かい光でいられると思いませんか。

そんな大げさなものでなくてもいいです。

彼がストレスで逃げたくなったときや、仕事でミスをして落ち込んでいるときに、あなたが信じていてくれるからがんばれたり、あなたが味方でいてくれるから自暴自棄にならなくて済んだり。

そういう、ささやかな行動の選択が、彼の心を守ることに繋がっていきます。

彼を愛する。

彼を世界一幸せにし続ける。

彼が大切にしている価値観を誰よりも理解し、彼を心から大切にし、心から信頼できる存在であり続ける。

あなたが人生を共に過ごしたい大切な彼との『**2人の幸せな恋愛**』が叶うことを心から願っています。

おわりに

本書の中で、何度も何度も、あなたの大好きな彼に対して、「これはNG行動だからしないで」と書いてきました。

実はその「NG行動だからしないで」と書いたことのほとんどは、昔の私がしてきたことです。

私は、かつて恋愛クラッシャーでした。

20代の半ばまでは、大好きな人と交際しても「彼氏なんだから」「私のことを好きなら」と、自分にとっての理想の恋愛を彼に押しつけまくっていたのです。彼が間違っていて自分が正しい！　と思うと、彼が眠くても疲れていても話し合いを持ちかけたり、「なんで」「どうして」と追い詰めたりして、理詰めで彼の心を叩き潰していました。

最初は私を大切にしてくれた彼も、しだいに「好きな気持ちがゼロになったわけではないけど、疲れてしまった」と、私から去っていきました。

愚かだった私は「あの彼が私の理想の相手ではなかっただけ。もっと私に合う人がいるはず」と恋愛クラッシャーのまま何度も繰り返し自分の幸せな交際を破壊してきました。振られたときには「私って愛され続けるのが叶わない女なのかな」と、生きていたくないほど絶望的な気持ちにもなりました。

それでも「幸せな恋愛」「世界中の誰でもなく、私がいいって言ってくれる人と結婚したい」を諦めることができませんでした。

このままでは一生愛されないし、結婚も叶わないのではないか。

自分を変えるしかない！　と、遅まきながら気づいたのが20代半ばでした。

自分を変えるために、恋愛をうまくいかせたくて勉強しようと手にとった本の1冊がぐっどうぃる博士の本だったのです。

ぐっどうぃる博士とは、ご存じの方も多いと思いますが、恋愛の悩みを相談するサイト「コイユニ（恋愛ユニバーシティ）」を運営している、大御所恋愛カウンセラーです。本書はぐっどうぃる博士の理論や著書に多大な影響を受けております。

博士の本に出逢ったときは、今のような未来があるとは全く想像できませんでした。自分の何がどう悪かったかが、ハッキリ突きつけられ、目からウロコが落ちました。

私は、博士の本に出てくる「やってはいけない例」そのものだったからです。

私がお姫様のようにわがままに振る舞っても、彼が変わらぬ愛で受け入れ続けてくれることを要求し、「真実の愛ならありのままで乗り越えられて、愛され続ける」と信じていた恋愛クラッシャーな自分……。自覚すると、とても恥ずかしく思いました。

強く変わろうと決意しました。

今変わらなければ、私の求めるような愛情深い結婚は手に入らないと思い知ったからです。

でも、人ってなかなか変わるのが難しいですよね。私も、それまでの考え方や行動のクセが抜けず、彼に理詰め攻撃をしそうになったり、「なんで」「どうして」と不満をぶつけそうになったりしたことも何度もありました。

その気持ちはいったん持ち帰り、言うべきか否か、言うならいつどのように言うかをとことん考え抜くという方法は、そのときに私が開発し、実行してきたものです。

恋愛クラッシャーの思考と行動のクセを変えて、恋愛プロファイリングを駆使して彼専用の攻略本を作成し、実行し続けてきました。
その結果、私は大好きな彼と結婚して、今は付き合いたてのラブラブ期よりも愛情いっぱいで幸せな暮らしをしています。

かつての私ほどダメダメな女性は少ないと思います。でも「なぜか恋愛がうまくいかない」と悩んでいる女性は多いです。その方たちに、恋愛の悩みから解放されてほしい。大好きな彼と幸せになってほしい。それが、私がこの本を書こうと思った一番の理由です。私がぐっどうぃる博士から教わった考え方と、私自身が編み出した「あなたの彼専用の攻略本」を作るための恋愛プロファイリングを融合させて、詰め込みました。

恋愛は人生において、とても大きな岐路だと思っています。
恋愛がうまくいくかどうか、どの人と交際・結婚をするのか。
その後の人生や幸せが大きく変わります。

私はひとの「なりたいを叶える」のが大好きです。幸せの分岐にかかわることがとても嬉しいのです。

私がかかわらせていただくことで、相談者さんが恋人と仲良くいられたり、復縁できたり、理想の結婚が叶ったり……。

それは私にとってすごく幸せなことで、本当にありがたく感じます。


私は現在、ぐっどうぃる博士が運営する「コイユニ（恋愛ユニバーシティ）」で、たくさんの女性の相談に乗っています。

お話を全身全霊でお伺いし、その女性が大好きな彼はどんな人なのかを脳細胞を総動員して恋愛プロファイリングし、彼を自分に憑依させます。何をすべきか、してはダメか、いつどんなタイミングでどう彼の心を動かしていくかをお伝えしています。恋人として仲良くされている方、晴れて結婚された方、その後も幸せに過ごされている方も数え切れません。

そうした元相談者の方から「今も彼とラブラブで幸せです」とご連絡をいただくと、とっても嬉しいです。

手助けさせてくださって、こちらこそ感謝の気持ちでいっぱいです。

私との出逢いによって、幸せなほうの分岐に進んでいただけると心から嬉しく思います。


この本を出すためにご協力いただいたぐっどうぃる博士、株式会社KADOKAWAの村本悠さん、読者視点でご意見くださったたまりごさん、本当にありがとうございました。皆様のご尽力がなければ、私だけでは到底なしえなかったことです。そして、毎日幸せと愛情と笑いをくれる、一途で誠実なオットにも心から愛と感謝を。

この本を手に取ってくださった方、ありがとうございます。最後まで読んでくださった方も、ありがとうございます。

この本との出逢いがあなたにとって「恋愛で全く悩まなくなった」という人生の分岐点になればとても嬉しいです。

森野　ひなた（もりの　ひなた）
恋愛コンサルタント。2007年にぐっどうぃる博士の著書に出逢い感銘を受け、恋愛心理学・行動分析学・心理カウンセリングなどを学ぶ。ぐっどうぃる博士推奨カウンセラーとして相談実績24,170件以上（2024年２月時点）の恋愛ユニバーシティの超人気恋愛コンサルタントに。恋愛プロファイリングを駆使した「彼個人」に特化した分析を得意とする。具体的なプランを作成し、成果に結びつけ、「彼の分析が的確」「やるべきことが明確になった」と相談者から好評を博す。復縁・結婚・関係修復・本命になるなど、成功者多数。

恋愛成就《れんあいじょうじゅ》は「彼分析《かれぶんせき》」が9割《わり》

2024年４月２日　初版発行

著者／森野《もりの》 ひなた

発行者／山下 直久

発行／株式会社KADOKAWA
〒102-8177　東京都千代田区富士見2-13-3
電話　0570-002-301（ナビダイヤル）

印刷所／TOPPAN株式会社

製本所／TOPPAN株式会社

●お問い合わせ
https://www.kadokawa.co.jp/（「お問い合わせ」へお進みください）
※内容によっては、お答えできない場合があります。
※サポートは日本国内のみとさせていただきます。
※Japanese text only

定価はカバーに表示してあります。

ISBN 978-4-04-606585-8　C0095